marabout**chef**

cuisine indienne

Sommaire

La tradition culinaire indienne est aussi étendue que l'Inde elle-même.
Cet ouvrage ne pouvant prétendre à l'exhaustivité, nous nous sommes
attachés à présenter une sélection de recettes typiques, généralement
connues et très réputées, et un échantillon de plats moins courants mais
qui méritent d'être découverts. Vous pouvez ainsi concevoir tout un repas
à l'heure indienne, pour surprendre vos convives et apporter une note
d'exotisme à vos réceptions. Les ingrédients utilisés dans les recettes de
ce livre se trouvent facilement en grandes surfaces ou dans les épiceries
fines pour les produits les plus rares.

Soupes et entrées

Pakoras aux légumes

Pour 4 à 6 personnes

100 g de farine de pois chiches
35 g de farine à levure incorporée
2 c. à c. de cumin moulu
1 c. à c. de garam masala
1/4 de c. à c. de curcuma moulu
1/2 c. à c. de piment en poudre
2 c. à c. de sel
2 gousses d'ail pilées
180 ml d'eau
100 g de bouquets de chou-fleur
85 g de bouquets de brocolis
de l'huile végétale pour la friture
1 petite aubergine (230 g) en tranches
2 courgettes moyennes (240 g) en tranches

Sauce au yaourt et à la menthe
2 c. à s. de gelée de menthe
180 ml de yaourt
1 petit piment rouge en tranches fines

1 Mélangez les ingrédients de la sauce au yaourt dans un bol. Couvrez et réfrigérez 1 heure.

2 Tamisez les deux farines, les épices et le sel dans un saladier. Ajoutez l'ail, puis fouettez en versant suffisamment d'eau pour obtenir une pâte épaisse. Couvrez et réfrigérez 30 minutes.

3 Faites cuire séparément le chou-fleur et les brocolis à l'eau, à la vapeur ou au micro-ondes ; ils doivent rester croquants. Rafraîchissez-les à l'eau froide et égouttez-les sur du papier absorbant.

4 Faites chauffer un grand volume d'huile dans une poêle. Trempez les légumes un à un dans la pâte et faites-les frire jusqu'à ce qu'ils soient dorés et croustillants. Égouttez-les sur du papier absorbant. Présentez les pakoras avec la sauce au yaourt.

Mélange apéritif

Pour 700 g environ

de l'huile végétale pour la friture
4 pappadums nature
100 g de pétales de riz
200 g de pois chiches rôtis
100 g de nouilles frites toutes prêtes
40 g de raisins de Smyrne
35 g de raisins de Corinthe

Mélange d'épices
2 c. à s. de sucre
1 c. à c. de sel
1 c. à c. de cumin moulu
1/4 de c. à c. de curcuma moulu
3/4 de c. à c. de piment en poudre

1 Faites chauffer un grand volume d'huile
   dans une grande casserole pour y faire
   frire les pappadums un à un, jusqu'à ce
   qu'ils gonflent et deviennent croustillants.
   Égouttez-les sur du papier absorbant.
   Une fois refroidis, brisez-les en morceaux.

2 Dans la même casserole, faites dorer les
   pétales de riz en remuant sans cesse. Retirez-
   les avec une écumoire et égouttez-les sur
   du papier absorbant. Laissez-les refroidir.

3 Préparez le mélange d'épices en mettant tous
   les ingrédients dans un bol.

4 Gardez seulement 1 cuillerée à soupe d'huile
   dans la casserole pour y faire revenir les pois
   chiches et la moitié du mélange d'épices.
   Laissez cuire 30 secondes en remuant.

5 Disposez dans un grand plat les morceaux
   de pappadums, les pétales de riz, les pois
   chiches, les nouilles, les raisins secs et le
   reste du mélange d'épices.

Cacahuètes et autres noix aux épices

Pour 600 g environ

2 c. à s. d'huile végétale
150 g de cacahuètes
150 g de noix de cajou
160 g d'amandes mondées
2 c. à c. de garam masala
1/2 c. à c. de piment en poudre
1 c. à c. de sel

1 Faites chauffer l'huile dans une poêle pour
   y faire dorer les cacahuètes. Égouttez-les
   sur du papier absorbant. Répétez l'opération
   avec les noix de cajou et les amandes.

2 Dans la même poêle, réchauffez les épices
   jusqu'à ce qu'elles embaument. Mélangez-
   les avec les arachides, les noix de cajou,
   les amandes et le sel dans un récipient.
   Laissez tiédir.

Soupe de lentilles aux épinards

Pour 6 à 8 personnes

2 c. à c. de graines de cumin
2 c. à c. de graines de coriandre
1 c. à s. de beurre clarifié
2 oignons moyens (300 g) hachés
2 gousses d'ail pilées
1 c. à s. de gingembre frais râpé
2 piments rouges secs broyés
8 feuilles de cari ciselées
2 c. à c. de graines de moutarde noire
1/2 c. à c. de graines de fenugrec
1 c. à c. de curcuma moulu
1 petite pincée d'assa-fœtida en poudre
200 g de lentilles corail rincées et égouttées
2 pommes de terre moyennes (400 g) en cubes
1,25 litre de bouillon de volaille
1 kg d'épinards grossièrement hachés
2 c. à s. de concentré de tamarin
100 g de poudre de lait de coco
250 ml d'eau bouillante

1 Faites sauter à sec le cumin et la coriandre en remuant, jusqu'à
   ce qu'ils embaument. Pilez-les dans un mortier.

2 Faites chauffer le beurre clarifié dans une grande casserole et laissez
   revenir les oignons, l'ail, le gingembre, les piments, les feuilles de cari,
   les graines de moutarde et de fenugrec, sans cesser de remuer. Ajoutez
   le mélange de cumin et coriandre, le curcuma et l'assa-fœtida. Laissez
   cuire encore 1 minute en remuant.

3 Ajoutez les lentilles, les pommes de terre et le bouillon. Portez à
   ébullition, couvrez, puis laissez mijoter 15 minutes, jusqu'à ce que
   les pommes de terre soient cuites. Incorporez les épinards et
   poursuivez la cuisson 2 minutes.

4 Mixez la préparation.

5 Ajoutez le concentré de tamarin puis l'eau bouillante et le lait de
   coco mélangés. Remuez jusqu'à ce que la soupe soit bien chaude.

Samosas à la viande et aux légumes

Pour 28 samosas

225 g de farine
2 c. à c. de sel
2 c. à s. d'huile végétale
80 ml d'eau chaude
de l'huile végétale pour la friture

Farce à la viande
2 c. à s. d'huile végétale
1 oignon moyen (150 g) émincé
2 gousses d'ail pilées
2 c. à c. de gingembre frais râpé
1/2 c. à c. de piment en poudre
2 c. à c. de coriandre moulue
2 c. à c. de garam masala
1 c. à c. de curcuma moulu
1 c. à c. de paprika
500 g de viande de bœuf hachée
2 c. à s. de jus de citron vert
1 poignée de menthe ciselée

Farce aux légumes
3 petites patates douces (750 g)
1 c. à s. d'huile végétale
1 oignon moyen (150 g) émincé
2 c. à c. de graines de cumin
1/2 c. à c. de graines de moutarde
    noire
1 long piment vert en tranches
2 gousses d'ail pilées
2 c. à c. de gingembre frais râpé
1/4 de c. à c. de noix de muscade
    moulue
1 c. à s. de jus de citron vert
1 poignée de coriandre fraîche
    ciselée

1 Tamisez la farine et le sel dans un saladier, creusez un puits au milieu, puis incorporez les 2 cuillerées à soupe d'huile et juste assez d'eau pour obtenir une pâte ferme.

2 Pétrissez la pâte sur une surface de travail farinée. Roulez-la en boule et laissez-la reposer 30 minutes à température ambiante sous un film alimentaire.

3 Pendant ce temps, préparez les farces au bœuf et aux légumes.

4 Formez 14 pâtons avec la pâte. Posez-en un sur le plan de travail et couvrez les autres d'un torchon humide. Divisez en deux le pâton que vous avez mis sur le plan de travail et abaissez-le pour former un ovale de 14 x 24 cm. Coupez-le en deux dans la largeur.

5 Badigeonnez d'un peu d'eau le pourtour de chaque demi-ovale de pâte, puis donnez-lui la forme d'un cornet (voir illustration). Garnissez les deux cornets de farce à la viande ou aux légumes et fermez-les en pinçant les bords. Répétez l'opération avec le reste de pâte et de farce.

6 Faites frire les chaussons dans un grand bain d'huile bouillante, en procédant en plusieurs tournées. Égouttez-les sur du papier absorbant. Servez chaud ou tiède.

Farce à la viande Dans une grande poêle huilée, faites dorer l'oignon en remuant. Ajoutez l'ail, le gingembre, le piment et les épices. Quand le mélange embaume, incorporez la viande hachée et laissez-la colorer à feu vif, en remuant souvent. Ajoutez le jus de citron vert et la menthe hors du feu. Laissez refroidir.

Farce aux légumes Faites cuire les patates douces dans de l'eau bouillante, puis égouttez-les et laissez-les refroidir. Détaillez-les en petits cubes. Faites chauffer l'huile dans une poêle pour y faire revenir l'oignon. Ajoutez les graines de cumin et de moutarde, le piment, l'ail, le gingembre et la noix de muscade. Poursuivez la cuisson jusqu'à ce que la préparation embaume. Hors du feu, incorporez les patates douces, le jus de citron vert et la coriandre. Laissez refroidir.

Rabattez la pâte en triangle pour former un cornet.

Garnissez de farce et pincez les bords pour fermer les samosas.

Faites-les frire dans un grand bain d'huile chaude.

Pommes de terre bengalies croustillantes

Pour 6 personnes

1,5 kg de pommes de terre en gros cubes
4 c. à s. de beurre clarifié
1 c. à s. de panch phora (mélange d'épices en graines)
3 gousses d'ail pilées
1 c. à s. de gingembre frais râpé
1 petit piment rouge en tranches
1 c. à s. de cumin moulu
1 c. à c. de sel
1 c. à c. de poivre noir concassé
60 ml de jus de citron
1 poignée de coriandre fraîche ciselée

1　Faites cuire les pommes de terre à l'eau bouillante, à la vapeur
ou au micro-ondes ; elles doivent rester très fermes. Égouttez-les.

2　Dans une petite poêle, faites chauffer 1 cuillerée à soupe de beurre
clarifié pour y faire revenir le panch phora jusqu'à ce qu'il embaume.
Ajoutez l'ail, le gingembre, le piment et le cumin. Laissez chauffer
encore 1 minute et réservez.

3　Faites dorer les pommes de terre 5 minutes dans le reste de beurre
clarifié, jusqu'à ce qu'elles soient bien croustillantes. Procédez
en deux tournées.

4　Mélangez les pommes de terre avec les épices, le sel, le poivre
et le jus de citron. Poursuivez la cuisson dans une très grande
poêle, jusqu'à ce que le plat soit bien chaud. Juste avant de servir,
garnissez de coriandre fraîche.

Soupe mulligatawny

Pour 6 personnes

1 c. à s. de beurre clarifié
1 gros oignon (200 g) haché
4 gousses d'ail pilées
2 c. à c. de gingembre frais finement râpé
2 petits piments verts en tranches fines
1/4 de c. à c. de cannelle moulue
1/4 de c. à c. de clous de girofle moulus
2 c. à c. de coriandre moulue
1 1/2 c. à c. de cumin moulu
1 c. à c. de curcuma moulu
4 gousses de cardamome broyées
5 feuilles de cari
1 carotte moyenne (120 g) en dés
1 pomme moyenne (150 g) en dés
1 grosse pomme de terre (300 g) en dés
200 g de lentilles corail rincées et égouttées
1 litre de bouillon de volaille
1 c. à s. de concentré de tamarin
1 c. à s. de jus de citron
500 ml de lait de coco
2 c. à s. de coriandre fraîche ciselée

1 Faites chauffer le beurre clarifié dans une grande casserole. Faites
   ensuite revenir l'oignon, l'ail, le gingembre, le piment, les épices
   et les feuilles de cari, jusqu'à ce que l'oignon soit doré et que la
   préparation embaume.

2 Ajoutez la carotte, la pomme, la pomme de terre, les lentilles
   et le bouillon. Couvrez et laissez frémir 15 minutes, en veillant
   à ce que les légumes restent légèrement croquants. Jetez les
   feuilles de cari et les gousses de cardamome.

3 Mixez la soupe. Reversez-la dans la casserole et ajoutez le tamarin,
   le jus de citron, le lait de coco et la coriandre. Réchauffez la soupe
   en remuant mais ne la laissez pas bouillir.

Galettes de pommes de terre

Pour 6 à 8 personnes

65 g de pois cassés jaunes
3 grosses pommes de terre (900 g) en cubes
75 g de farine de pois chiches + 1 ou 2 c. à s. pour fariner les galettes
1 c. à s. de menthe fraîche ciselée
1 c. à s. de coriandre fraîche ciselée
2 c. à c. de garam masala
1 c. à c. de cumin moulu
1 c. à c. de coriandre moulue
2 petits piments rouges en tranches fines
1 jaune d'œuf
1 c. à s. de jus de citron
2 c. à c. de sel
3 c. à s. de beurre clarifié
1 œuf légèrement battu

Sauce au tamarin
250 ml d'eau bouillante
50 g de pulpe de tamarin séchée
2 c. à c. de gingembre frais râpé
1 c. à c. de cumin moulu
50 g de sucre candi broyé

1 Faites tremper les pois cassés 45 minutes dans de l'eau froide.

2 Pendant ce temps, préparez la sauce au tamarin.

3 Égouttez les pois cassés et mettez-les dans une casserole. Couvrez-les
   d'eau froide et portez à ébullition, puis baissez le feu et laissez frémir
   10 minutes sans couvrir. Égouttez-les à nouveau.

4 Faites cuire les pommes de terre à l'eau puis égouttez-les bien
   avant de les réduire en purée. Laissez refroidir.

5 Dans un grand saladier, mélangez la purée de pommes de terre,
   la farine de pois chiches, les herbes, les épices, les piments, le jaune
   d'œuf, le jus de citron et le sel. Ajoutez les pois cassés. Formez des
   galettes légèrement aplaties que vous saupoudrez de farine de pois
   chiches avant de les étaler sur un plateau.

6 Faites chauffer le beurre clarifié dans une grande poêle antiadhésive.
   Trempez une à une les croquettes dans l'œuf, puis faites-les rissoler
   jusqu'à ce qu'elles soient dorées. Égouttez-les sur du papier absorbant.
   Présentez-les avec la sauce au tamarin.

Sauce au tamarin Hachez la pulpe de tamarin avant de la faire gonfler
   30 minutes dans l'eau. Pressez-la au-dessus d'une petite casserole
   pour extraire tout le liquide. Jetez la pulpe. Ajoutez le gingembre,
   le cumin et le sucre candi dans la casserole. Portez à ébullition.
   Baissez le feu et mettez à frémir 5 minutes, jusqu'à ce que la sauce
   ait légèrement épaissi. Filtrez et laissez tiédir.

Plats végétariens

Sambar de lentilles et de légumes

Pour 6 à 8 personnes

200 g de pois cassés jaunes
2 c. à s. d'huile végétale
1 gros oignon (200 g) en tranches
1 c. à s. de gingembre moulu
2 c. à c. de cumin moulu
2 c. à c. de coriandre moulue
1 c. à c. de curcuma moulu
6 gousses de cardamome broyées
8 feuilles de cari
1 c. à c. de sel
800 g de tomates en boîte
35 g de noix de coco râpée
40 g de sucre candi
1 c. à s. de concentré de tamarin
1 c. à s. de graines de moutarde jaune
1 kg de petites pommes de terre nouvelles coupées en deux
500 g de patates douces en cubes
2 carottes moyennes (240 g) en dés
4 courgettes moyennes (480 g) en tronçons
125 ml d'eau
1 c. à s. de jus de citron vert

1   Faites tremper 1 heure les pois cassés dans un peu d'eau, puis
    égouttez-les.

2   Faites chauffer l'huile dans une grande casserole et faites revenir
    l'oignon jusqu'à ce qu'il soit légèrement doré. Ajoutez toutes les épices,
    les feuilles de cari et le sel. Continuez la cuisson en mélangeant bien,
    jusqu'à ce que la préparation embaume.

3   Mixez les tomates avec la noix de coco, le sucre candi, le tamarin
    et les graines de moutarde.

4   Versez ce mélange dans la casserole, ajoutez les pois cassés et portez
    à ébullition. Réduisez le feu, couvrez et laissez mijoter 10 minutes.

5   Ajoutez les pommes de terre, les patates douces et les carottes, couvrez
    et laissez mijoter 15 minutes. Incorporez enfin les courgettes et faites
    cuire encore 10 minutes.

Haricots verts sautés aux épices

Pour 4 à 6 personnes

2 c. à s. de beurre clarifié
2 gousses d'ail pilées
1 c. à s. de gingembre frais finement râpé
2 petits piments rouges en tranches fines
2 c. à c. de graines de coriandre
1 c. à c. de graines de moutarde noire
1/2 c. à c. de graines de fenugrec
560 g de haricots verts
125 ml de lait de coco
2 c. à s. de coriandre fraîche ciselée

1 Faites chauffer le beurre clarifié dans un wok pour y faire revenir 2 minutes l'ail, le gingembre, les piments, les graines de moutarde, de coriandre et de fenugrec.

2 Ajoutez les haricots. Quand ils ont cuit 5 minutes (ils sont encore croquants), versez le lait de coco. Poursuivez la cuisson pendant 5 minutes en remuant, jusqu'à ce que le liquide soit presque évaporé. Saupoudrez de coriandre juste avant de servir.

Bhaji de pommes de terre, chou-fleur et petits pois

Pour 4 à 6 personnes

2 c. à s. de beurre clarifié
1 gros oignon (200 g) en tranches
2 gousses d'ail pilées
1 c. à s. de paprika doux
2 c. à c. de garam masala
2 c. à c. de cumin moulu
6 gousses de cardamome broyées
4 clous de girofle
4 pommes de terre moyennes (800 g) avec la peau, coupées en quartiers
8 feuilles de cari
30 g de noix de coco râpée
125 ml d'eau
400 ml de lait de coco
2 c. à c. de sel
1 chou-fleur (1 kg) en bouquets
125 g de petits pois surgelés

1 Faites chauffer le beurre clarifié dans une casserole pour y faire revenir l'oignon et l'ail. Ajoutez toutes les épices et poursuivez la cuisson jusqu'à ce que la préparation embaume.

2 Mettez les pommes de terre dans la casserole, puis les feuilles de cari, la noix de coco, l'eau, le lait de coco et le sel. Couvrez et laissez frémir 15 minutes.

3 Quand les pommes de terre sont tendres, ajoutez le chou-fleur, couvrez et faites mijoter encore 10 minutes. Incorporez enfin les petits pois et laissez cuire jusqu'à ce que le plat soit parfaitement chaud.

Koftas de pommes de terre et fromage

Pour 4 à 6 personnes

500 g de pommes de terre en dés
500 g de ricotta
2 œufs légèrement battus
50 g de farine
1 poignée de coriandre fraîche
    ciselée
1 c. à c. de cumin moulu
1 c. à c. de sel
de la fécule de maïs pour
    saupoudrer
de l'huile végétale pour la friture

Sauce tomate crémeuse
2 c. à s. de beurre clarifié
2 oignons moyens (300 g) émincés
4 gousses d'ail en dés
2 c. à s. de gingembre frais râpé
2 c. à s. de garam masala
1 c. à c. de graines de coriandre
2 c. à c. de paprika doux
1 c. à c. de cumin moulu
4 grosses tomates (1 kg) pelées,
    épépinées et concassées
150 g de noix de cajou grillées
    et broyées
250 ml d'eau
300 ml de crème liquide
1 c. à c. de sel

1 Faites cuire les pommes de terre à l'eau bouillante, à la vapeur ou micro-ondes. Égouttez-les puis réduisez-les en purée. Laissez refroidir.

2 Mélangez la purée avec la ricotta, les œufs, la farine, la coriandre, le cumin et le sel. Réfrigérez 30 minutes.

3 Pendant ce temps, préparez la sauce tomate.

4 Avec le mélange aux pommes de terre, faites des koftas en veillant qu'ils aient tous à peu près la même taille. Passez-les dans la fécule de maïs.

5 Versez à peu près 1 cm d'huile dans une sauteuse pour y faire frire les koftas. Procédez en plusieurs tournées, en rajoutant un peu d'huile dans la sauteuse si nécessaire. Quand les koftas sont dorés, égouttez-les sur du papier absorbant. Servez-les rapidement avec la sauce tomate.

Sauce tomate crémeuse Faites chauffer le beurre clarifié dans une casserole pour y faire dorer les oignons. Ajoutez l'ail, le gingembre et toutes les épices. Poursuivez la cuisson jusqu'à ce que les arômes se dégagent. Incorporez alors les tomates, les noix de cajou et l'eau. Portez à ébullition puis laissez mijoter 20 minutes à feu doux, sans couvrir, jusqu'à ce que la sauce ait légèrement épaissi. Mixez-la. Juste avant de servir, réchauffez-la à feu doux après avoir incorporé la crème liquide et le sel.

Laisser épaissir la sauce tomate à feu doux, sans couvrir.

Formez des koftas régulières avec le mélange aux pommes de terre.

Procédez en plusieurs tournées pour faire frire les koftas.

Curry de potiron aux épinards

Pour 4 personnes

1 kg de potiron
2 c. à s. de beurre clarifié
2 oignons moyens (300 g) en tranches
2 gousses d'ail pilées
1 c. à c. de gingembre frais râpé
2 petits piments verts en tranches fines
1 c. à c. de coriandre moulue
1 c. à c. de cumin moulu
1 c. à c. de graines de moutarde noire
1/2 c. à c. de curcuma moulu
300 ml de crème liquide
250 g d'épinards grossièrement hachés
3 feuilles de cari ciselées
2 c. à s. de coriandre fraîche ciselée
1 c. à s. d'amandes effilées grillées

1 Épluchez le potiron et détaillez-le en cubes de 3 cm.

2 Faites chauffer le beurre clarifié dans une grande poêle et faites revenir les oignons, jusqu'à ce qu'ils soient légèrement dorés. Ajoutez l'ail, le gingembre, les piments et les épices. Poursuivez la cuisson en mélangeant jusqu'à ce que les arômes se dégagent.

3 Ajoutez les morceaux de potiron et la crème, couvrez, puis laissez frémir 20 minutes à feu doux, jusqu'à ce que le potiron soit tendre.

4 Incorporez les épinards, les feuilles de cari et la coriandre. Laissez sur le feu jusqu'à ce que les épinards commencent à fondre. Juste avant de servir, saupoudrez d'amandes effilées.

Gombos aux épices

Pour 4 à 6 personnes

2 c. à s. d'huile végétale
2 oignons moyens (300 g) émincés
1 c. à s. de graines de cumin
4 gousses d'ail pilées
2 longs piments verts en tranches
4 feuilles de cari
2 c. à c. de coriandre moulue
1 c. à c. de curcuma moulu
1/2 c. à c. de paprika doux
1/2 c. à c. de gingembre moulu
1 kg de gombos
250 ml d'eau
60 ml de concentré de tomates
2 c. à s. de vinaigre blanc
2 c. à c. de sucre
1 grosse poignée de feuilles de coriandre fraîche
1/2 c. à c. de garam masala

1 Faites revenir les oignons dans l'huile chaude jusqu'à ce qu'ils dorent légèrement. Ajoutez les graines de cumin et faites-les sauter jusqu'à ce qu'elles commencent à éclater. Incorporez l'ail, les piments, les feuilles de cari, la coriandre moulue, le curcuma, le paprika et le gingembre. Poursuivez la cuisson jusqu'à ce que la préparation embaume.

2 Ajoutez les gombos et mélangez bien pour les enrober d'épices. Versez l'eau, le concentré de tomates, le vinaigre et le sucre. Portez à ébullition. Baissez le feu, couvrez et laissez mijoter 30 minutes, en remuant de temps à autre. Juste avant de servir, incorporez la coriandre fraîche et saupoudrez de garam masala.

Curry de légumes

Pour 4 personnes

60 ml de yaourt
2 gousses d'ail pilées
2 c. à c. de gingembre frais râpé
1 c. à c. de sel
1/4 de c. à c. de poivre noir concassé
1 c. à c. de coriandre moulue
1 c. à s. de piment en poudre
1/2 c. à c. de garam masala
4 gousses de cardamome broyées
2 pommes de terre moyennes (400 g)
3 c. à s. de beurre clarifié
1 c. à s. d'huile végétale
2 oignons moyens (300 g) émincés
1 grosse carotte (180 g) en tranches
300 g de bouquets de chou-fleur
2 petites aubergines (120 g) en tranches
2 feuilles de laurier
125 ml d'eau
250 ml de crème de coco
150 g de haricots verts coupés en deux
2 c. à s. de menthe fraîche ciselée

1 Dans un bol, mélangez le yaourt, l'ail, le gingembre, le sel, le poivre et les épices. Laissez reposer 15 minutes. Détaillez les pommes de terre en cubes.

2 Faites chauffer le beurre clarifié et l'huile dans une grande casserole pour y faire dorer légèrement les oignons. Ajoutez les pommes de terre, la carotte, le chou-fleur, les aubergines et les feuilles de laurier. Poursuivez la cuisson 5 minutes en remuant.

3 Versez le mélange au yaourt, l'eau et la crème de coco. Couvrez et laissez mijoter 15 minutes, jusqu'à ce que les pommes de terre soient cuites.

4 Ajoutez les haricots verts et faites-les cuire à peu près 5 minutes à feu moyen et sans couvrir : ils doivent rester croquants. Juste avant de servir, saupoudrez de menthe ciselée.

Dhal aux lentilles et pois cassés

Pour 4 à 6 personnes

150 g de pois cassés jaunes
150 g de lentilles corail
2 c. à s. de beurre clarifié
3 c. à c. de graines de moutarde noire
1/2 c. à c. de nigelle ou cumin noir (kalonji)
2 oignons moyens (300 g) en dés
4 gousses d'ail pilées
1 c. à s. de gingembre frais râpé
1 c. à s. de cumin moulu
3 c. à c. de coriandre moulue
1 c. à c. de curcuma moulu
1 c. à c. de piment en poudre
800 g de tomates pelées en boîte
625 ml de bouillon de légumes
1/2 c. à c. de poivre noir concassé
80 ml de crème liquide
2 c. à s. de coriandre fraîche ciselée

1 Rincez séparément à l'eau froide les lentilles et les pois cassés, puis égouttez-les soigneusement. Faites tremper les pois cassés 30 minutes dans l'eau froide avant de bien les égoutter.

2 Dans une casserole à fond épais, faites sauter les graines de moutarde et de nigelle dans le beurre clarifié, jusqu'à ce qu'elles commencent à éclater. Ajoutez les oignons, l'ail et le gingembre. Poursuivez la cuisson, en remuant, jusqu'à ce que les oignons soient légèrement dorés.

3 Incorporez les épices moulues et mélangez 1 minute à feu moyen avant d'ajouter les lentilles, les pois cassés, les tomates en boîte (sans les égoutter) et le bouillon de légumes. Couvrez et laissez frémir 30 minutes, jusqu'à ce que les lentilles corail soient tendres. Peu avant de servir, ajoutez le poivre et la crème, mélangez à feu doux sans laisser bouillir. Saupoudrez de coriandre fraîche juste avant de servir.

Pois chiches aux épices

Pour 4 à 6 personnes

300 g de pois chiches secs
2 c. à s. d'huile végétale
1 oignon moyen (150 g) émincé
1 c. à c. de gingembre frais râpé
3 gousses d'ail pilées
2 c. à c. de garam masala
2 c. à c. de cumin moulu
2 c. à c. de coriandre moulue
2 c. à c. de paprika doux
1/2 c. à c. de piment en poudre
1/4 de c. à c. de curcuma moulu
1 c. à c. de graines de moutarde jaune
400 g de tomates pelées en boîte
2 c. à s. de crème de coco
2 c. à c. de sel

1 Faites tremper les pois chiches toute une nuit dans l'eau froide. Le lendemain, égouttez-les et faites-les cuire à l'eau bouillante (sans sel). Égouttez-les de nouveau quand ils sont tendres.

2 Versez l'huile dans une grande casserole et laissez dorer l'oignon avant d'ajouter le gingembre, l'ail, les épices et les graines de moutarde. Mélangez sur le feu jusqu'à ce que les épices embaument.

3 Versez les tomates en boîte (sans les égoutter) et la crème de coco, ajoutez les pois chiches et le sel. Laissez épaissir 5 minutes sans couvrir.

Aubergines au lait de coco et aux épices

Pour 4 personnes

40 g de pulpe de tamarin séchée
125 ml d'eau bouillante
3 petites aubergines (180 g) en tranches
2 c. à c. de sel
2 c. à s. d'huile végétale
2 gros oignons (400 g) émincés
2 gousses d'ail pilées
2 c. à c. de gingembre frais finement râpé
6 feuilles de cari
3 petits piments rouges en tranches fines
2 c. à c. de graines de moutarde jaune
2 c. à c. de graines de cumin
2 c. à c. de coriandre moulue
2 c. à s. de concentré de tomates
375 ml d'eau
125 ml de crème de coco
1 c. à s. de coriandre fraîche ciselée

1 Faites gonfler le tamarin 30 minutes dans l'eau bouillante puis pressez-le au-dessus d'un récipient pour en extraire tout le liquide. Jetez les résidus de pulpe.

2 Saupoudrez de sel les tranches d'aubergines, puis laissez-les dégorger 30 minutes dans une passoire. Rincez-les à l'eau froide avant de les égoutter.

3 Dans une casserole huilée, faites revenir les oignons, l'ail et le gingembre. Ajoutez les feuilles de cari, les piments, les graines de moutarde et de cumin, ainsi que la coriandre moulue. Mélangez jusqu'à ce que les arômes se dégagent.

4 Versez dans la casserole le jus de tamarin, le concentré de tomates, l'eau et la crème de coco. Portez à ébullition avant d'incorporer les aubergines. Couvrez et laissez frémir 15 minutes. Retirez le couvercle et laissez cuire encore 5 minutes, pour que la sauce épaississe. Juste avant de servir, saupoudrez de coriandre fraîche.

Poissons et fruits de mer

Gambas aux épices et à la coriandre

Pour 4 à 6 personnes

1,5 kg de grosses gambas crues
2 c. à s. d'huile végétale
1 gros oignon (200 g) émincé

Pâte masala
3 grosses poignées de feuilles
    de coriandre fraîche
1 grosse poignée de feuilles
    de menthe fraîche
2 c. à s. d'eau
2 c. à c. d'huile de sésame
2 gousses d'ail hachées
1 c. à s. de gingembre frais haché
2 c. à s. de vinaigre blanc
1 c. à c. de curcuma moulu
1 c. à c. de cumin moulu
1 c. à c. de piment en poudre
1 c. à c. de fenouil moulu
1/2 c. à c. de cannelle moulue
1 c. à c. de sel

1 Décortiquez les gambas en laissant la queue intacte.
2 Mixez en pommade tous les ingrédients de la pâte masala.
3 Faites légèrement dorer l'oignon dans l'huile chaude, dans une grande poêle, puis versez la pâte masala. Remuez à feu vif jusqu'à ce qu'elle embaume. Ajoutez alors les gambas et laissez-les cuire 5 minutes environ. Leur chair doit être bien blanche à l'intérieur.

Décortiquez les gambas et jetez les têtes. Gardez la queue intacte.

Mixez tous les ingrédients de la pâte masala.

Faites revenir les crevettes avec la pâte masala.

Koftas de poisson

Pour 4 personnes

700 g de filets de poisson blanc
2 oignons moyens (300 g) hachés
2 grosses poignées de feuilles
    de coriandre fraîche
2 gros piments frais en tranches
1 c. à s. de beurre clarifié
2 gousses d'ail pilées
2 c. à c. de coriandre moulue
1 c. à c. de cumin moulu
1/2 c. à c. de curcuma moulu
2 bâtonnets de cannelle
1 c. à c. de fenugrec moulu
3 tomates moyennes (700 g)
    pelées et concassées

1 Détaillez les filets de poisson en tronçons larges et faites-les pocher dans une casserole d'eau frémissante. Égouttez-le au-dessus d'un saladier et réservez 500 ml de liquide de cuisson.

2 Mixez le poisson avec la moitié des oignons et de la coriandre fraîche et la totalité des piments.

3 Formez des koftas allongés avec cette préparation et disposez-les sur un plateau. Réfrigérez 30 minutes.

4 Faites chauffer la moitié du beurre clarifié dans une poêle antiadhésive pour y faire dorer les koftas, en les tournant plusieurs fois délicatement pendant la cuisson. Égouttez-les sur du papier absorbant.

5 Dans la moitié du beurre clarifié, faites revenir le reste des oignons, l'ail et toutes les épices, en remuant souvent. Ajoutez les tomates avec leur jus et laissez épaissir 5 minutes. Quand les tomates sont réduites en purée, mouillez avec le liquide de cuisson du poisson et faites épaissir cette sauce 10 minutes à feu moyen.

6 Plongez les quenelles dans la sauce et réchauffez-les 5 minutes. Juste avant de servir, saupoudrez du reste de la coriandre fraîche.

Faites pocher les morceaux de poisson dans de l'eau frémissante.

Mixez le poisson avec les oignons, la coriandre et les piments.

Formez des koftas en forme de quenelles.

Crevettes patia

Pour 4 personnes

1,5 kg de gambas moyennes crues
400 g de tomates pelées en boîte
2 gros piments verts en tranches
60 g de sucre brun
1 c. à s. de concentré de tamarin
60 ml de concentré de tomates
1 grosse poignée de coriandre fraîche
2 c. à s. de beurre clarifié
2 gros oignons (400 g) émincés
4 gousses d'ail pilées
2 c. à c. de coriandre moulue
2 c. à c. de garam masala
2 c. à c. de cumin moulu
1 c. à c. de curcuma moulu
1 c. à c. de piment en poudre
6 feuilles de cari

1 Décortiquez les gambas en laissant les queues intactes.

2 Mixez les tomates (sans les égoutter), les piments, le sucre,
le concentré de tamarin, le concentré de tomates et la coriandre
fraîche. Faites chauffer le beurre clarifié dans une poêle pour
y laisser revenir les oignons et l'ail. Ajoutez les épices moulues
et poursuivez la cuisson jusqu'à ce que les arômes se dégagent.

3 Versez le mélange aux tomates et portez à ébullition. Laissez
ensuite frémir 10 minutes pour que la sauce épaississe légèrement.
Plongez les gambas dedans et laissez-les cuire 5 minutes. Juste
avant de servir, décorez de feuilles de cari.

Curry de poisson

Pour 4 à 6 personnes

35 g de noix de coco râpée légèrement grillée
2 gousses d'ail en fines tranches
3 petits piments rouges en tranches fines
2 c. à c. de graines de coriandre
2 c. à c. de graines de cumin
1/2 c. à c. de curcuma moulu
1 c. à s. de concentré de tamarin
1 c. à s. de gingembre frais finement râpé
2 oignons moyens (300 g) émincés
125 ml d'eau froide
2 c. à s. d'huile végétale
2 tomates moyennes (380 g) concassées
8 feuilles de cari
125 ml de bouillon de volaille
200 ml de lait de coco
1 kg de filets de poisson blanc en tronçons larges

1   Mixez la noix de coco, l'ail, les piments, les graines de coriandre
    et de cumin, le curcuma, le tamarin, le gingembre et la moitié
    des oignons avec l'eau froide.

2   Dans une grande casserole huilée, faites dorer le reste des oignons
    puis ajoutez la pâte aux épices. Laissez-la chauffer jusqu'à ce qu'elle
    embaume.

3   Incorporez les tomates, les feuilles de cari, le bouillon et le lait
    de coco. Faites épaissir 10 minutes sans couvrir.

4   Ajoutez les morceaux de poisson, couvrez et laissez pocher
    10 minutes environ. Le poisson doit être juste cuit mais surtout
    pas sec.

Poisson makhanwala

Pour 4 personnes

700 g de filets de poisson blanc
2 c. à s. de beurre clarifié
1 gros oignon (200 g) émincé
4 gousses d'ail pilées
1 c. à s. de gingembre frais râpé
4 gousses de cardamome broyées
2 c. à c. de coriandre moulue
3 c. à c. de cumin moulu
1/2 c. à c. de cannelle moulue
1/2 c. à c. de piment de Cayenne
1 c. à c. de garam masala
2 c. à c. de sel
800 g de tomates pelées en boîte
125 ml de crème liquide
1 c. à s. de jus de citron
2 c. à s. de coriandre fraîche ciselée

1 Détaillez les filets de poisson en tronçons
   de 4 cm.

2 Faites chauffer le beurre clarifié dans une
   grande poêle pour y laisser dorer l'oignon
   5 minutes environ. Ajoutez l'ail, le gingembre,
   les épices et le sel. Mélangez et continuez
   la cuisson jusqu'à ce que les arômes se
   dégagent.

3 Versez les tomates avec leur jus, la crème
   liquide et le jus de citron. Laissez épaissir
   5 minutes sans couvrir.

4 Plongez les morceaux de poisson dans la
   sauce, couvrez et faites cuire 10 minutes.
   Juste avant de servir, saupoudrez de
   coriandre fraîche.

Curry de gambas et de mangue verte

Pour 4 à 6 personnes

1,5 kg de grosses gambas crues
2 c. à s. d'huile végétale
1 gros oignon (200 g) haché
2 mangues vertes moyennes (860 g) pelées
   et détaillées en dés
8 feuilles de cari ciselées
100 ml de lait de coco en poudre
400 ml d'eau bouillante
80 ml de crème liquide
oignons verts en tranches pour décorer

Mélange d'épices
45 g de noix de coco sèche grillée
2 gousses d'ail en fines tranches
1/2 c. à c. de curcuma moulu
2 c. à c. de coriandre moulue
2 longs piments rouges secs broyés
1 c. à c. de sel

1 Décortiquez les gambas en laissant leur
   queue intacte.

2 Préparez le mélange d'épices en réduisant
   en poudre tous les ingrédients dans le bol
   d'un robot ménager.

3 Faites chauffer l'huile dans une grande
   casserole, laissez revenir l'oignon puis versez
   les épices broyées et mélangez sur le feu
   jusqu'à ce qu'elles embaument.

4 Ajoutez les gambas, la mangue, les feuilles
   de cari, le lait de coco et l'eau bouillante.
   Laissez frémir 5 minutes sans couvrir, jusqu'à
   ce que les gambas soient cuites. Hors du feu,
   incorporez la crème. Juste avant de servir,
   décorez de tranches d'oignon vert.

Moules aux épices

Pour 4 personnes

1,5 kg de moules de bouchot
2 c. à s. d'huile végétale
1 oignon moyen (150 g) haché
1 c. à s. de gingembre frais finement râpé
4 gousses d'ail pilées
2 feuilles de laurier
2 petits piments verts en tranches fines
1 c. à c. de graines de cumin
1/2 c. à c. de clous de girofle
6 gousses de cardamome broyées
2 c. à c. de coriandre moulue
1 c. à c. de sucre
400 ml de crème de coco en boîte
60 ml d'eau
2 c. à s. de coriandre fraîche ciselée

1 Grattez soigneusement les moules et retirez les barbes (ou byssus).

2 Versez l'huile dans une casserole pour y faire revenir l'oignon,
   le gingembre et l'ail.

3 Ajoutez les feuilles de laurier, les piments, les graines de cumin et
   les épices. Remuez sur le feu jusqu'à ce que le mélange embaume.

4 Faites dissoudre le sucre dans l'eau, ajoutez la crème de coco, puis
   versez le mélange dans la casserole. Laissez épaissir cette sauce
   10 minutes en remuant de temps en temps. Ajoutez les moules,
   couvrez et laissez cuire 3 minutes à feu vif. Quand les moules sont
   bien ouvertes, transférez-les dans un grand plat avec la sauce et
   saupoudrez de coriandre fraîche. Servez avec des rince-doigts
   et prenez soin d'éliminer les moules qui sont restées fermées.

Volailles

Poulet tikka

Pour 4 à 6 personnes

6 blancs de poulet (1 kg)
1 c. à s. de gingembre frais râpé
3 gousses d'ail pilées
2 c. à s. de jus de citron
2 c. à c. de coriandre moulue
2 c. à c. de cumin moulu
1/2 c. à c. de garam masala
1/2 c. à c. de piment en poudre
80 ml de yaourt
2 c. à s. de concentré de tomates
quelques gouttes de colorant alimentaire rouge

1 Partagez les blancs de poulet en deux et faites trois incisions profondes
   sur chaque morceau.

2 Mélangez le reste des ingrédients dans un saladier, ajoutez les blancs
   de poulet et retournez-les plusieurs fois pour les enrober de sauce.
   Couvrez et réfrigérez toute une nuit.

3 Faites griller les blancs de poulet au barbecue ou sur une plaque
   en fonte.

Coupez les blancs de poulet
en deux. Faites trois entailles
profondes sur chaque morceau.

Préparez une marinade épaisse
et retournez les blancs de poulet
dedans.

Faites cuire les blancs de poulet en
plusieurs tournées sur une plaque
en fonte ou au barbecue.

Curry de poulet de l'Inde du Sud

Pour 4 à 6 personnes

2 c. à s. d'huile végétale
2 c. à c. de graines de moutarde noire
1/4 de c. à c. de graines de fenugrec
16 feuilles de cari ciselées
2 gros oignons (400 g) émincés
3 gousses d'ail pilées
1 c. à s. de gingembre frais râpé
1 petit piment rouge en tranches fines
1 c. à s. de coriandre moulue
2 c. à c. de paprika doux
1 c. à c. de curcuma moulu
3/4 de c. à c. de fenouil moulu
1 c. à c. de sel
10 morceaux de poulet (1,6 kg) sans os ni peau
400 g de tomates pelées en boîte
60 ml de bouillon de volaille
300 g de haricots verts
310 g de crème de coco
1 c. à s. de concentré de tamarin

1 Versez l'huile dans une casserole pour y faire revenir les graines de moutarde et de fenugrec avec les feuilles de cari. Quand le mélange embaume, ajoutez les oignons, l'ail, le gingembre et le piment. Remuez jusqu'à ce que les oignons soient fondus.

2 Ajoutez les épices moulues et le sel. Laissez cuire 1 minute.

3 Mettez le poulet dans la casserole avec les tomates (sans les égoutter) et le bouillon de volaille. Couvrez et laissez mijoter 30 minutes, puis à nouveau 20 minutes sans couvercle (pour faire épaissir la sauce).

4 Ajoutez les haricots verts, la crème et le tamarin. Poursuivez la cuisson 10 minutes encore, sans couvrir, jusqu'à ce que les haricots soient juste tendres.

Poulet makhani

Pour 4 à 6 personnes

6 blancs de poulet (1 kg)
2 c. à c. de garam masala
2 c. à c. de coriandre moulue
3/4 de c. à c. de piment en poudre
3 gousses d'ail pilées
2 c. à c. de gingembre frais râpé
2 c. à s. de vinaigre blanc
60 ml de concentré de tomates
125 ml de yaourt
1 gros oignon (200 g)
80 g de beurre
1 bâtonnet de cannelle
4 gousses de cardamomes broyées
1 c. à c. de sel
3 c. à c. de paprika doux
425 g de tomates concassées en boîte
180 ml de bouillon de volaille
250 ml de crème liquide

1 Détaillez chaque blanc de poulet en trois morceaux.

2 Mélangez les épices moulues, l'ail, le gingembre, le vinaigre, le concentré de tomates et le yaourt dans un saladier. Enrobez-en soigneusement les morceaux de poulet. Couvrez et réfrigérez une nuit.

3 Émincez l'oignon pour le faire revenir au beurre dans une grande casserole avec la cannelle et la cardamome. Quand il est légèrement doré, ajoutez le poulet et sa marinade. Laissez chauffer le tout 5 minutes en mélangeant.

4 Incorporez le sel, le paprika, les tomates concassées et le bouillon. Laissez frémir 10 minutes sans couvrir, en remuant de temps à autre. Ajoutez la crème et poursuivez la cuisson 10 minutes, jusqu'à ce que la viande soit tendre.

Poulet masala

Pour 4 personnes

2 c. à c. de graines de coriandre
2 c. à c. de graines de cumin
1/2 c. à c. de graines de cardamome
1/2 c. à c. de piment en poudre
1/2 c. à c. de poivre noir moulu
1/4 de c. à c. de cannelle moulue
1/4 de c. à c. de clous de girofle
  moulus
1 c. à s. d'huile végétale
1 c. à s. d'eau
8 pilons de poulet (1,2 kg)

1 Pilez la coriandre, le cumin et la cardamome dans un mortier ou broyez-les dans un moulin à épices.

2 Mettez-les dans une poêle avec le piment, le poivre, la cannelle et le clou de girofle. Faites-les rôtir à sec jusqu'à ce que leurs arômes s'exhalent. Hors du feu, ajoutez l'eau et l'huile, mélangez bien.

3 Faites des entailles assez profondes sur les pilons avant de frotter la viande avec le mélange d'épices. Couvrez et laissez reposer 6 heures au frais.

4 Faites griller les pilons sur une plaque en fonte chaude huilée, jusqu'à ce qu'ils soient dorés et cuits à point.

Versez l'huile et l'eau sur les épices rôties pour faire une pâte épaisse.

Incisez les pilons jusqu'à l'os, sur les deux faces.

Frottez les pilons avec la pâte d'épices. Laissez mariner au frais.

Poulet aux pois cassés et aux épinards

Pour 6 à 8 personnes

200 g de pois cassés jaunes
18 ailes de poulet (1,5 kg)
40 g de pulpe de tamarin séchée
375 ml d'eau bouillante
2 c. à s. de beurre clarifié
2 gros oignons (400 g) émincés
2 gousses d'ail pilées
4 gros piments verts en tranches
1 c. à s. de gingembre frais râpé
1 c. à c. de curcuma moulu
2 c. à c. de garam masala
1 c. à c. de fenugrec moulu
2 c. à s. de jus de citron vert
30 g de sucre brun
1 grosse poignée de menthe fraîche ciselée
1 grosse poignée de coriandre fraîche ciselée
500 g d'épinards hachés

1 Faites tremper les pois cassés 1 heure dans un saladier d'eau froide, puis égouttez-les.

2 Coupez la pointe des ailes et jetez-la. Partagez les ailes en deux, à l'articulation.

3 Faites gonfler le tamarin 30 minutes dans l'eau bouillante. Égouttez-le au-dessus d'un bol en pressant bien la pulpe pour en extraire tout le jus. Jetez la pulpe.

4 Faites chauffer le beurre clarifié dans une grande casserole et laissez revenir les oignons, jusqu'à ce qu'ils soient légèrement dorés. Ajoutez l'ail, les piments, le gingembre et les épices. Mélangez sur le feu jusqu'à ce que la préparation embaume.

5 Ajoutez dans la casserole les pois cassés, les ailes de poulet, le jus de tamarin, le jus de citron vert et le sucre. Couvrez et laissez cuire 30 minutes. Quand la viande est tendre, ajoutez les herbes et les épinards. Laissez cuire encore 3 minutes.

Curry rouge au poulet

Pour 4 à 6 personnes

2 c. à s. de beurre clarifié
2 oignons moyens (300 g) émincés
4 gousses d'ail pilées
2 c. à c. de gingembre frais finement râpé
1 poivron rouge moyen (200 g) en morceaux
2 c. à c. de cumin moulu
2 c. à c. de coriandre moulue
2 c. à c. de paprika doux
1 c. à c. de piment en poudre
1 c. à s. de concentré de tomates
425 g de tomates pelées en boîte
6 blancs de poulet (1 kg)
500 ml de bouillon de volaille
60 ml de crème liquide
1 c. à s. de concentré de tamarin

1 Faites chauffer le beurre clarifié dans une grande casserole pour y laisser revenir les oignons, l'ail, le gingembre, le poivron et les épices. Remuez jusqu'à ce que les oignons soient tendres.

2 Ajoutez le concentré de tomates et les tomates (sans les égoutter), les blancs de poulet coupés en deux et le bouillon de volaille. Couvrez et laissez frémir 20 minutes.

3 Incorporez la crème liquide et le concentré de tamarin. Laissez mijoter 15 minutes de plus, pour que la sauce épaississe un peu.

Curry sec de poulet

Pour 6 personnes

2 c. à s. de beurre clarifié
2 oignons moyens (300 g) émincés
6 feuilles de cari ciselées
1 c. à c. de graines de cumin
1 c. à c. de graines de moutarde noire
2 gousses d'ail pilées
2 c. à c. de gingembre frais râpé
1 c. à c. de garam masala
1 c. à c. de curcuma moulu
1/2 c. à c. de piment en poudre
1 c. à c. de sel
6 blancs de poulet coupés en deux (1 kg)
125 ml d'eau
1 c. à s. de coriandre fraîche ciselée

1 Faites chauffer le beurre clarifié dans une grande casserole pour y faire dorer les oignons à feu moyen, en remuant souvent.

2 Ajoutez les feuilles de cari, les graines de moutarde et de cumin, l'ail, le gingembre, les épices moulues, le piment et le sel. Mélangez vivement jusqu'à ce que les arômes se dégagent. Ajoutez les morceaux de poulet et enrobez-les soigneusement du mélange d'épices.

3 Versez l'eau dans la casserole, couvrez et laissez mijoter 30 minutes, puis encore 15 minutes sans le couvercle pour faire épaissir la sauce. Incorporez la coriandre hors du feu.

Curry de poulet à la crème de coco

Pour 4 à 6 personnes

2 c. à c. de poivre noir en grains
4 gros piments rouges secs
1 c. à c. de graines de fenouil
2 c. à s. de graines de pavot blanc
1/4 de c. à c. de graines de cardamome
4 pilons de poulet (600 g)
4 cuisses de poulet (environ 1 kg)
2 c. à s. de beurre clarifié
2 oignons moyens (300 g) émincés
1 c. à s. de gingembre frais râpé
1 c. à c. de piment en poudre
3/4 de c. à c. de noix de muscade moulue
180 ml d'eau
400 ml de crème de coco
60 ml de concentré de tomates
6 feuilles de cari
2 étoiles de badiane
1 c. à s. de jus de citron vert
2 tomates moyennes (380 g) pelées et concassées

1 Dans un mortier ou un moulin à épices, réduisez en poudre le poivre, les piments et les graines de fenouil, pavot et cardamome.

2 Retirez la peau des morceaux de poulet.

3 Faites revenir les oignons dans le beurre clarifié, jusqu'à ce qu'ils brunissent légèrement. Ajoutez le gingembre, le piment, la noix de muscade et les épices pulvérisées. Mélangez jusqu'à ce que la préparation embaume.

4 Faites colorer le poulet dans ce mélange avant d'incorporer le reste des ingrédients. Couvrez et laissez frémir 20 minutes, puis à nouveau 20 minutes sans couvercle pour que la sauce épaississe. La viande doit être très tendre.

Marmite de poulet aux légumes

Pour 6 personnes

1 c. à s. d'huile végétale
1 c. à s. de beurre clarifié
1 1/2 c. à c. de graines de moutarde noire
1 bâtonnet de cannelle
2 c. à c. de graines de coriandre broyées
3 clous de girofle
4 gousses de cardamome broyées
16 feuilles de cari ciselées
2 feuilles de laurier
1 1/2 c. à s. de gingembre frais en tranches fines
1 1/2 c. à s. de poivre noir moulu
1 gros piment vert en tranches
3 gousses d'ail pilées
1 c. à c. de sel
1/2 c. à c. de curcuma moulu
2 oignons moyens (300 g) en tranches épaisses
1 c. à c. de garam masala
8 blancs de poulet coupés en deux (1,2 kg)
330 ml de bouillon de volaille
12 petites pommes de terre nouvelles (500 g)
2 grosses carottes (300 g) en tronçons
300 g de lait de coco
60 g de petits pois surgelés
2 c. à s. de jus de citron
2 c. à s. de coriandre fraîche ciselée

1 Faites chauffer l'huile et le beurre clarifié dans une grande casserole
   pour y laisser revenir les graines de moutarde pendant 30 secondes,
   en remuant sans cesse. Ajoutez la cannelle, la coriandre, les clous de
   girofle et la cardamome, les feuilles de laurier et de cari. Mélangez
   jusqu'à ce que la préparation embaume.

2 Incorporez le gingembre, le poivre, le piment, l'ail, le sel et le curcuma,
   mélangez 1 minute, puis faites colorer les oignons dans cette
   préparation.

3 Ajoutez ensuite le garam masala, le poulet, le bouillon de volaille,
   les pommes de terre, les carottes et le lait de coco. Couvrez et laissez
   mijoter 45 minutes, en remuant de temps à autre. Retirez le couvercle
   et laissez frémir encore 15 minutes.

4 Ajoutez le reste des ingrédients. Prolongez la cuisson de 5 minutes
   pour que les petits pois soient tendres.

Viandes

Côtelettes d'agneau tandoori

Pour 4 personnes

250 ml de yaourt
1 oignon moyen (150 g) en dés
2 c. à s. de jus de citron
1 c. à s. d'huile végétale
1 c. à s. de gingembre frais en dés
3 gousses d'ail pilées
2 c. à c. de piment en poudre
1 c. à c. de garam masala
1 c. à c. de cumin moulu
12 côtelettes d'agneau

1 Mixez en pâte homogène le yaourt, l'oignon, le jus de citron,
   le gingembre, l'ail et les épices.

2 Versez cette préparation dans un grand saladier, ajoutez les
   côtelettes d'agneau et mélangez bien. Laissez mariner toute
   une nuit au réfrigérateur.

3 Faites griller les côtelettes en plusieurs tournées sur une plaque
   en fonte chaude huilée.

Mixez le yaourt et les épices
pour préparer la marinade.

Enrobez les côtelettes de marinade
puis réfrigérez-les.

Faites griller les côtelettes
en plusieurs tournées.

Rogan josh

Pour 6 à 8 personnes

250 ml de yaourt
1 c. à s. de vinaigre de cidre
4 gousses d'ail pilées
1 c. à s. de gingembre frais râpé
1 kg d'épaule d'agneau en morceaux
2 c. à s. de beurre clarifié
4 gousses de cardamome broyées
3 clous de girofle
1 bâtonnet de cannelle
2 oignons moyens (300 g) hachés
3 c. à c. de cumin moulu
1 c. à s. de coriandre moulue
1 c. à c. de graines de fenouil moulues
1 1/2 c. à c. de paprika doux
3/4 de c. à c. de piment en poudre
125 ml de bouillon de volaille
1 c. à c. de garam masala
2 c. à s. de coriandre fraîche ciselée
1 c. à s. de menthe fraîche ciselée

1 Mélangez dans un saladier le yaourt, le vinaigre, la moitié de l'ail et la moitié du gingembre. Plongez-y la viande et enrobez-la soigneusement de marinade. Couvrez et réfrigérez 3 heures (ou toute une nuit).

2 Faites revenir au beurre clarifié les épices entières, en mélangeant jusqu'à ce qu'elles embaument. Ajoutez les oignons, le reste de l'ail et du gingembre. Faites revenir le mélange en remuant jusqu'à ce que les oignons soient légèrement dorés.

3 Incorporez les épices moulues et remuez jusqu'à ce que leurs arômes se dégagent. Ajoutez ensuite l'agneau avec sa marinade.

4 Versez le bouillon dans la casserole, couvrez et laissez mijoter 1 h 30, puis encore 30 minutes sans couvercle pour faire épaissir la sauce. Juste avant de servir, incorporez le garam masala et les herbes fraîches.

Agneau bandami

Pour 6 à 8 personnes

1 pincée de stigmates de safran
60 ml d'eau bouillante
250 ml de yaourt
1,5 kg d'épaule d'agneau en morceaux
2 grosses poignées de feuilles de menthe fraîche
180 ml d'eau froide
25 g de sucre brun
2 c. à s. de beurre clarifié
1 c. à s. d'huile végétale
2 oignons moyens (300 g) émincés
4 gousses d'ail pilées
1 c. à s. de gingembre frais râpé
1 c. à s. de cumin moulu
1 bâtonnet de cannelle
6 gousses de cardamome broyées
6 clous de girofle
60 g d'amandes en poudre
1 c. à s. de jus de citron vert
1 poignée de coriandre fraîche ciselée
2 c. à s. de menthe fraîche ciselée

1 Faites infuser le safran 10 minutes dans l'eau bouillante.

2 Mélangez le yaourt avec le safran infusé (et son eau de trempage),
   ajoutez les morceaux d'agneau et remuez. Couvrez et réfrigérez 1 heure.

3 Mixez les feuilles de menthe, l'eau froide et le sucre brun pour obtenir
   une pâte épaisse. Réservez.

4 Dans une grande casserole, faites chauffer le beurre clarifié et l'huile
   pour y faire dorer les oignons. Ajoutez l'ail, le gingembre et toutes
   les épices, mélangez sur le feu jusqu'à ce que le mélange embaume.
   Mettez dans la casserole l'agneau avec sa marinade ainsi que la purée
   de menthe. Couvrez et laissez frémir 1 heure.

5 Incorporez les amandes en poudre, le jus de citron vert, la coriandre et
   la menthe ciselée. Laissez cuire encore 10 minutes sans couvrir, pour
   faire épaissir la sauce. Servez avec du yaourt nature (facultatif).

Boulettes d'agneau à la façon du Cachemire

Pour 6 personnes

2 c. à c. de cumin moulu
2 c. à c. de coriandre moulue
2 c. à c. de garam masala
1 c. à c. de piment en poudre
1/2 c. à c. de curcuma moulu
750 g de viande d'agneau hachée
4 gousses d'ail pilées
2 c. à c. de gingembre frais râpé
240 ml de yaourt
2 c. à s. de beurre clarifié
1 gros oignon (200 g) haché
2 c. à s. de lait entier en poudre
2 c. à s. d'amandes en poudre
1 c. à c. de sucre
375 ml d'eau chaude

1 Mettez toutes les épices dans un bol.

2 Mélangez dans un grand saladier la viande hachée, l'ail, le gingembre, 1 cuillerée à soupe de yaourt et la moitié du mélange d'épices. Mettez un peu de farine sur vos mains et formez des boulettes de la valeur de 1 cuillerée à soupe de cette préparation. Farinez légèrement les boulettes avant de les mettre sur un plateau. Vous pouvez les glisser 30 minutes au réfrigérateur pour les faire raffermir un peu.

3 Faites revenir l'oignon dans le beurre clarifié chaud, dans une grande casserole, puis ajoutez progressivement 150 ml de yaourt, le lait en poudre, les amandes en poudre, le sucre et l'eau chaude. Portez à ébullition puis baissez le feu. Laissez frémir sans couvrir 5 minutes, en mélangeant de temps à autre, jusqu'à ce que la préparation ait légèrement épaissi.

4 Ajoutez les boulettes de viande, couvrez et faites cuire 10 minutes, puis à nouveau 10 minutes sans couvercle pour que la sauce épaississe. Présentez les boulettes en sauce dans un grand plat et nappez du reste de yaourt au dernier moment.

Mélangez les épices moulues dans un récipient.

Formez des boulettes et farinez-les légèrement.

Faites cuire les boulettes dans la sauce frémissante.

Jarrets d'agneau à la façon du Pendjab

Pour 4 personnes

4 gousses d'ail
4 gros piments verts
1 c. à s. de gingembre frais râpé
1 c. à s. de cumin moulu
2 c. à s. d'huile végétale
8 petits jarrets d'agneau dégraissés (1,5 kg)
2 c. à s. de beurre clarifié
2 oignons moyens (300 g) émincés
2 feuilles de laurier
4 clous de girofle
1 bâtonnet de cannelle
1 gousse de cardamome broyée
2 c. à c. de garam masala
1 c. à c. de noix de muscade moulue
1 c. à c. de coriandre moulue
1 c. à c. de cumin moulu
500 g d'épinards hachés
400 g de tomates pelées en boîte
60 ml de concentré de tomates

1 Mixez en purée l'ail, les piments, le gingembre, la moitié du cumin et
   l'huile. Enrobez soigneusement les jarrets d'agneau de cette purée.
   Couvrez et réfrigérez au moins 3 heures.

2 Dans une grande cocotte, faites revenir les oignons dans le beurre
   clarifié chaud puis ajoutez les feuilles de laurier et les épices. Mélangez
   jusqu'à ce que la préparation embaume. Saisissez l'agneau mariné
   dans ce mélange.

3 Faites cuire les épinards à l'eau bouillante ou à la vapeur puis égouttez-
   les bien avant de les mixer en purée avec le concentré de tomates et les
   tomates pelées. Versez ce mélange dans la cocotte, couvrez et laissez
   mijoter 1 h 15. Enlevez le couvercle et laissez cuire encore 30 minutes
   pour faire épaissir la sauce.

Bœuf dhansak

Pour 6 personnes

2 c. à s. de beurre clarifié
2 oignons moyens (300 g) émincés
4 gousses d'ail pilées
1 c. à c. de curcuma moulu
2 c. à c. de coriandre moulue
2 c. à c. de cumin moulu
2 c. à c. de garam masala
500 g de potiron épluché et détaillé en cubes
1 aubergine moyenne (300 g) pelée et coupée en tronçons
6 feuilles de cari
200 g de lentilles corail rincées et égouttées
1 litre d'eau
1 kg de viande de bœuf en morceaux

1 Dans une grande casserole, faites revenir l'oignon et l'ail dans le beurre
   clarifié chaud puis ajoutez les épices. Mélangez jusqu'à ce que la
   préparation embaume.

2 Incorporez le potiron, l'aubergine, les feuilles de cari, les lentilles
   et l'eau. Portez à ébullition. Baissez le feu, couvrez et laissez frémir
   30 minutes, jusqu'à ce que le potiron soit tendre. Mettez à refroidir.

3 Mixez le mélange en purée homogène avant de le remettre dans la
   casserole. Ajoutez la viande et portez à ébullition. Couvrez et baissez
   le feu. Laissez frémir 1 heure, puis encore 30 minutes sans couvercle.
   La viande doit être tendre et la sauce assez épaisse.

Agneau aux oignons

Pour 6 à 8 personnes

4 gros oignons (800 g)
3 c. à s. de beurre clarifié
5 gousses d'ail pilées
1 c. à s. de gingembre frais râpé
1/2 c. à c. de piment en poudre
1/2 c. à c. de coriandre moulue
1 c. à s. de cumin moulu
1 c. à c. de curcuma moulu
1/2 c. à c. de graines de cardamome
4 clous de girofle
1,2 kg d'épaule d'agneau en morceaux
250 ml de yaourt
400 g de tomates pelées en boîte
2 c. à s. de coriandre fraîche ciselée
2 c. à s. de menthe fraîche ciselée
1 1/2 c. à c. de garam masala

1 Détaillez la moitié des oignons en tranches fines et faites-les revenir avec la moitié du beurre clarifié dans une grande casserole, jusqu'à ce qu'ils dorent légèrement. Réservez-les.

2 Hachez le reste des oignons pour les faire sauter avec l'ail et le gingembre dans le reste du beurre clarifié. Incorporez les épices et remuez jusqu'à ce que le mélange embaume.

3 Ajoutez l'agneau dans la casserole, puis incorporez progressivement le yaourt, en six fois, en mélangeant intimement après chaque ajout.

4 Versez les tomates avec leur jus, couvrez et laissez mijoter 1 h 30, puis encore 30 minutes sans couvercle pour que la sauce épaississe.

5 Juste avant de servir, réchauffez rapidement les oignons en tranches avant de les ajouter dans la casserole avec les herbes et le garam masala.

Koftas de bœuf aux aubergines et aux tomates

Pour 6 à 8 personnes

750 g de viande de bœuf hachée
2 c. à s. de menthe fraîche ciselée
2 c. à c. de gingembre frais finement râpé
1 c. à c. de coriandre moulue
2 c. à c. de garam masala
1 c. à c. de piment en poudre
60 ml de yaourt
3 c. à s. de beurre clarifié
2 oignons moyens (300 g) émincés
2 gousses d'ail pilées
1/2 c. à c. de cardamome moulue
1 c. à c. de curcuma moulu
1 c. à c. de graines de cumin
2 tomates moyennes concassées
1 c. à c. de concentré de tomates
2 petites aubergines (120 g) en dés
2 petits piments rouges en tranches fines
250 ml de bouillon de bœuf
1 c. à s. de coriandre fraîche ciselée

1 Dans un saladier, mélangez la viande hachée, la menthe, le gingembre, la coriandre moulue, la moitié du garam masala, le piment en poudre et le yaourt. Formez des koftas en forme de quenelles épaisses, disposez-les sur un plateau, couvrez et réfrigérez 1 heure.

2 Faites frire les koftas dans une grande poêle avec la moitié du beurre clarifié. Égouttez-les sur du papier absorbant.

3 Dans la même poêle, faites revenir dans le reste du beurre clarifié les oignons, l'ail, la cardamome, le reste du garam masala, le curcuma et le cumin.

4 Ajoutez les tomates, le concentré de tomates, les aubergines et les piments. Laissez cuire 5 minutes en remuant, pour que les légumes soient tendres.

5 Versez le bouillon de bœuf et ajoutez les koftas, couvrez et laissez mijoter 20 minutes. Retirez le couvercle et faites cuire encore 10 minutes, pour que la sauce épaississe. Juste avant de servir, incorporez la coriandre fraîche.

Korma à l'agneau

Pour 8 personnes

2 c. à s. d'huile végétale
2 petits piments verts en tranches
75 g de noix de cajou crues
2 oignons moyens (300 g) grossièrement hachés
300 ml de crème de coco
3 gousses d'ail pilées
1 1/2 c. à s. de gingembre frais râpé
1 c. à s. de cumin moulu
3 c. à c. de coriandre moulue
1 1/2 c. à c. de garam masala
6 gousses de cardamome broyées
1 bâtonnet de cannelle
2 clous de girofle
1,5 kg d'épaule d'agneau en morceaux
160 ml de yaourt
400 g de tomates pelées en boîte
1 c. à s. de concentré de tamarin

1   Faites chauffer la moitié de l'huile dans une cocotte pour y faire revenir
    les piments, les noix de cajou et les oignons. Laissez tiédir un peu avant
    de mixer ce mélange avec la moitié de la crème de coco. Incorporez
    pour finir le reste de la crème de coco. Réservez.

2   Versez le reste d'huile dans la casserole pour y faire colorer l'ail,
    le gingembre et les épices. Quand le mélange embaume, ajoutez la
    viande, puis le yaourt en plusieurs fois (remuez bien entre chaque
    ajout).

3   Versez dans la casserole le mélange à la crème de coco, remuez,
    couvrez et laissez frémir 1 heure. Enlevez le couvercle et prolongez la
    cuisson à feu doux pendant 1 heure environ. La viande doit être très
    tendre. Incorporez le concentré de tamarin juste avant de servir.

Gigot d'agneau aux épices

Pour 6 à 8 personnes

2 c. à c. de graines de coriandre
1 c. à c. de graines de cumin
8 gousses de cardamome broyées
2 bâtonnets de cannelle broyés
2 étoiles de badiane
1/2 c. à c. de poivre noir
6 clous de girofle
4 gousses d'ail pilées
1 c. à s. de gingembre frais râpé
2 c. à s. de jus de citron
60 ml de concentré de tomates
1 gigot d'agneau de 2 kg
125 ml d'eau bouillante
1 pincée de stigmates de safran

1 Faites sauter à sec les graines de coriandre et de cumin avec les épices dans une poêle. Broyez-les ensuite au robot ménager puis mettez-les dans un bol avec l'ail, le gingembre, le jus de citron et le concentré de tomates. Mélangez bien.

2 Dégraissez bien le gigot et piquez-le profondément de toutes parts avec la pointe d'un couteau. Frottez-le sur toutes ses faces avec le mélange d'épices en pressant bien pour le faire pénétrer dans les incisions. Mettez le gigot dans un plat, couvrez et réfrigérez 24 heures au moins.

3 Préchauffez le four à 180 °C. Faites infuser le safran dans l'eau bouillante.

4 Posez le gigot sur une grille, dans un grand plat ; versez l'eau safranée au fond du plat. Couvrez le gigot d'une feuille d'aluminium et faites-le cuire 1 heure au four. Retirez la feuille d'aluminium et laissez le gigot dorer encore 30 minutes.

Préparez une pâte épaisse avec les épices, l'ail, le gingembre, le jus de citron et le concentré de tomates.

Piquez le gigot profondément pour que la pâte d'épices pénètre bien dans la chair.

L'eau safranée au fond du plat permet à la viande de rester moelleuse.

Porc vindaloo

Pour 6 à 8 personnes

2 c. à c. de graines de cumin
2 c. à c. de garam masala
1 c. à s. de gingembre frais râpé
6 gousses d'ail pilées
8 petits piments rouges en tranches fines
1 c. à s. de vinaigre blanc
1 c. à s. de concentré de tamarin
1 kg de viande de porc en morceaux
2 c. à s. de beurre clarifié
2 gros oignons (400 g) émincés
2 bâtonnets de cannelle
6 clous de girofle
2 c. à c. de farine
1 litre de bouillon de bœuf
8 feuilles de cari
25 g de sucre brun

1   Faites sauter à sec le cumin et le garam masala. Laissez refroidir.

2   Dans un grand saladier, mélangez ces épices avec le gingembre, l'ail,
    les piments, le vinaigre et le tamarin. Enrobez soigneusement les
    morceaux de porc de ce mélange. Couvrez et réfrigérez 1 heure.

3   Faites chauffer le beurre clarifié dans une casserole pour y faire revenir
    les oignons, la cannelle et les clous de girofle. Ajoutez le porc mariné
    et saisissez-le 5 minutes en remuant vivement pour qu'il se colore sur
    toutes les faces. Incorporez la farine.

4   Versez progressivement le bouillon, puis ajoutez les feuilles de cari.
    Couvrez et laissez mijoter 30 minutes. Retirez le couvercle et laissez
    frémir encore 30 minutes pour faire épaissir la sauce. Ajoutez le sucre
    brun. Continuez de mélanger jusqu'à ce qu'il soit complètement
    dissous.

Agneau kheema

Pour 6 à 8 personnes

2 c. à s. de beurre clarifié
2 oignons moyens (300 g) en tranches
2 gousses d'ail pilées
1 c. à s. de gingembre frais râpé
3 gros piments rouges secs broyés
1 c. à s. de graines de fenouil
2 c. à c. de graines de cumin
1 c. à c. de curcuma moulu
1 c. à c. de cardamome moulue
3 feuilles de laurier
1 kg de viande d'agneau hachée
250 ml de bouillon de volaille
2 tomates moyennes (380 g) concassées
2 poignées de menthe fraîche ciselée

1 Dans une grande casserole, faites dorer les oignons dans le beurre
   clarifié puis ajoutez l'ail, le gingembre, les piments, les graines de
   fenouil et de cumin, les épices et les feuilles de laurier. Mélangez
   à feu vif jusqu'à ce que les épices embaument.

2 Faites colorer la viande hachée dans ce mélange puis versez le
   bouillon et portez à ébullition. Baissez le feu, couvrez et laissez frémir
   30 minutes. Retirez le couvercle et laissez mijoter encore quelques
   minutes, jusqu'à ce que le liquide se soit évaporé. Jetez les feuilles
   de laurier.

3 Juste avant de servir, ajoutez les tomates et la menthe. Mélangez bien.

Gigot d'agneau à la mongole

Pour 6 à 8 personnes

3 c. à s. de beurre clarifié
2 oignons moyens (300 g) émincés
4 gousses d'ail pilées
2 c. à c. de gingembre finement râpé
2 c. à c. de graines de cumin
2 c. à s. d'amandes en poudre
80 ml de pâte de curry Madras
500 ml de bouillon de bœuf
310 ml de yaourt
1 gigot d'agneau de 2 kg
1 bâtonnet de cannelle
4 gousses de cardamome
1 poignée de coriandre fraîche ciselée

1   Dans une grande cocotte en fonte, faites chauffer le beurre clarifié
    pour y faire revenir les oignons, l'ail, le gingembre, les graines de cumin
    et les amandes en poudre.

2   Ajoutez la pâte de curry et remuez. Versez le bouillon et le yaourt que
    vous aurez mélangés au préalable, remuez bien puis posez le gigot
    à plat dans la cocotte. Ajoutez la cannelle et la cardamome. Portez à
    ébullition, puis baissez le feu. Couvrez et laissez cuire 1 h 30 à 2 heures
    à feu très doux ; la viande doit être très moelleuse. Sortez-la de la
    cocotte et mettez-la sur une planche à découper, couvrez d'une feuille
    d'aluminium et laissez reposer 10 minutes au moins.

3   Pendant ce temps, laissez frémir la sauce 10 minutes au moins à feu
    moyen pour la faire épaissir.

4   Présentez le gigot entier dans sa sauce et saupoudrez-le de coriandre
    fraîche.

Curry de porc au tamarin

Pour 6 personnes

60 g de pulpe de tamarin séchée
500 ml d'eau bouillante
1 gros oignon (200 g) émincé
4 gousses d'ail
1 c. à c. de gingembre frais finement râpé
2 petits piments verts
1 c. à s. de citronnelle en tranches
2 c. à s. de beurre clarifié
5 clous de girofle
2 bâtonnets de cannelle
1 c. à c. de curcuma moulu
1 c. à s. de coriandre moulue
1/2 c. à c. de cardamome moulue
1 c. à c. de piment en poudre
1 kg de viande de porc en morceaux
1 c. à s. de coriandre fraîche ciselée

1   Hachez grossièrement la pulpe de tamarin puis faites-la gonfler
    30 minutes dans l'eau bouillante. Pressez-la ensuite au-dessus
    d'un bol pour en extraire tout le jus. Jetez la pulpe et réservez
    le liquide.

2   Mixez en purée épaisse l'oignon, l'ail, le gingembre, les piments verts,
    la citronnelle. Ajoutez 1 cuillerée à soupe de jus de tamarin.

3   Faites revenir le mélange à l'oignon, les clous de girofle, la cannelle
    et les épices dans le beurre clarifié chaud, jusqu'à ce que les épices
    embaument. Ajoutez la viande et mélangez soigneusement. Laissez-la
    colorer à feu vif, sans cesser de remuer.

4   Versez le reste du jus de tamarin dans la casserole, couvrez et laissez
    frémir 30 minutes. Retirez le couvercle et poursuivez la cuisson encore
    30 minutes, jusqu'à ce que la viande soit très tendre. Juste avant de
    servir, incorporez la coriandre fraîche.

Bœuf à la façon de Madras

Pour 6 personnes

90 g de noix de coco râpée
400 g de tomates pelées en boîte
2 c. à s. de gingembre frais râpé
2 c. à c. de graines de moutarde noire
1 c. à s. de concentré de tamarin
2 c. à s. d'huile végétale
2 gros oignons (400 g) émincés
6 gousses d'ail pilées
1 c. à s. de cumin moulu
1 c. à c. de curcuma moulu
2 c. à c. de coriandre moulue
2 c. à c. de piment en poudre
2 c. à c. de paprika doux
10 feuilles de cari
125 ml d'eau
1 kg de paleron de bœuf en morceaux

1   Mixez en purée la noix de coco, les tomates (sans les égoutter),
le gingembre, les graines de moutarde et le tamarin.

2   Dans une grande casserole, faites colorer dans l'huile chaude
les oignons et l'ail, en remuant souvent. Ajoutez toutes les épices
et mélangez bien, jusqu'à ce que les arômes se dégagent.

3   Incorporez les feuilles de cari et la purée à la noix de coco, délayez
la sauce avec l'eau puis ajoutez les morceaux de bœuf. Couvrez
et laissez mijoter 1 h 30.

Biryani de bœuf

Pour 4 à 6 personnes

2 petits piments rouges en tranches fines
2 c. à c. de coriandre moulue
2 c. à c. de cumin moulu
1/2 c. à c. de curcuma moulu
2 c. à s. de vinaigre blanc
80 ml de yaourt
1 kg de paleron de bœuf en petits morceaux
2 c. à s. de beurre clarifié
2 gros oignons (400 g) émincés
2 bâtonnets de cannelle
4 gousses de cardamome broyées
400 g de riz basmati
560 ml de bouillon de bœuf
185 g de petits pois surgelés
50 g de raisins secs
2 grosses tomates (500 g) épépinées et concassées
140 g d'amandes effilées grillées
1 poignée de coriandre fraîche ciselée

1 Mélangez les piments, les épices moulues, le vinaigre et le yaourt dans
   un récipient. Enrobez le bœuf de cette marinade. Couvrez et réfrigérez
   1 heure.

2 Dans une grande casserole, faites revenir les oignons, la cannelle
   et la cardamome dans le beurre clarifié, en remuant souvent. Ajoutez
   la viande, couvrez et laissez cuire 1 heure à feu doux, en mélangeant
   de temps à autre.

3 Pendant ce temps, mettez le riz à gonfler 30 minutes dans un saladier
   plein d'eau. Égouttez-le soigneusement.

4 Versez le riz et le bouillon de bœuf dans la casserole. Portez à
   ébullition, puis baissez le feu et laissez frémir 10 minutes en remuant
   de temps à autre, jusqu'à ce que les grains de riz soient juste tendres.
   Jetez les bâtonnets de cannelle. Incorporez les petits pois, les raisins
   secs et les tomates. Couvrez et laissez reposer 10 minutes hors du feu.
   Juste avant de servir, incorporez les amandes et la coriandre.

Pour accompagner les viandes

Chutney, condiments, sauces et yaourts jouent un rôle essentiel dans le repas indien. Certains fournissent ainsi le seul ingrédient cru du repas quand d'autres permettent d'atténuer le feu des épices. On peut aussi les déguster avec des pains indiens (naan ou chapati) chauds.

Sambal de bananes à la noix de coco

Pour 400 g environ

2 bananes fermes en tranches
1 c. à s. de jus de citron
1 c. à c. de sucre
1/4 de c. à c. de sel
1 petit piment rouge en tranches fines
20 g de noix de coco râpée

Mélangez tous les ingrédients dans un saladier. Servez sans attendre.

Sambal de tomates à la menthe

Pour 4 à 6 personnes

4 tomates moyennes (760 g)
1 oignon moyen (150 g) émincé
1 poignée de menthe fraîche ciselée
60 ml de jus de citron
2 c. à c. de sucre
1 c. à c. de sel

Pelez les tomates et détaillez-les en quartiers. Épépinez-les puis coupez chaque quartier en fines tranches. Mettez-les dans un saladier avec l'oignon et la menthe. Fouettez dans un bol le jus de citron, le sucre et le sel, versez cette sauce sur les tomates, remuez, couvrez et réfrigérez 30 minutes au moins.

Sambal de carottes aux raisins secs

Pour 600 g environ

2 c. à c. d'huile végétale
1 c. à s. de graines de moutarde
   noire
45 g de noix de coco râpée
2 grosses carottes (360 g) finement
   râpées
80 g de raisins secs
60 ml de jus de citron
1 grosse poignée de menthe fraîche
   ciselée

Dans une petite casserole, faites
   revenir à l'huile les graines de
   moutarde et la noix de coco.
   Quand celle-ci commence à
   colorer, transvasez le mélange
   dans un saladier, ajoutez le
   reste des ingrédients et remuez.

Condiment à la tomate

Pour 600 g environ

4 grosses tomates (1 kg) concassées
1 oignon moyen (150 g) émincés
4 gousses d'ail hachées
1 c. à s. de gingembre frais
   en tranches
4 petits piments rouges en tranches
   fines
2 c. à c. de sel
2 c. à c. de cumin moulu
1/2 c. à c. de curcuma moulu
1/2 c. à c. de piment en poudre
1/4 de c. à c. de clous de girofle
   moulus
2 c. à s. d'huile végétale
60 ml de vinaigre blanc
75 g de sucre

Mixez en purée tous les
   ingrédients puis faites-les
   chauffer à feu doux dans une
   casserole pour faire dissoudre
   le sucre. Portez à ébullition
   puis laissez frémir à petit feu
   pendant 45 minutes environ
   pour faire épaissir cette sauce.

Chutney de noix de coco à la coriandre

Pour 4 à 6 personnes

1 c. à s. de beurre clarifié
1 c. à c. de graines de moutarde
   noire
2 c. à c. de graines de cumin
1 c. à c. de garam masala
2 feuilles de cari ciselées
135 g de noix de coco râpée
2 petits piments verts en tranches
1/2 c. à c. de sel
1 poignée de coriandre fraîche
1 gousse d'ail pilée
125 ml de lait de coco
60 ml de jus de citron vert

Dans une petite poêle, faites
   revenir au beurre clarifié
   les graines de cumin et de
   moutarde, ainsi que le garam
   masala. Incorporez les feuilles
   de cari. Mixez le reste des
   ingrédients en purée puis
   versez cette dernière sur les
   épices. Mélangez bien. Moulez
   la préparation pour former
   un disque épais de 12 cm de
   diamètre environ.

Raïta

Pour 300 g environ

1 petit concombre (150 g)
1 c. à c. de beurre clarifié
1/4 de c. à c. de graines de cumin
1/2 c. à c. de graines de moutarde
   noire
1/4 de c. à c. de cumin moulu
250 ml de yaourt
1 c. à s. de jus de citron
1 gousse d'ail pilée
1/4 de c. à c. de piment de Cayenne
1 c. à s. de menthe fraîche ciselée

Épluchez le concombre, coupez-
le en deux dans la longueur
et épépinez-le. Hachez-le
grossièrement. Dans une petite
casserole, faites chauffer le
beurre clarifié pour y laisser
revenir les graines de cumin
et de moutarde avec le cumin
moulu. Laissez refroidir.
Mélangez ces épices avec le
concombre, le yaourt, le jus
de citron, l'ail et le piment de
Cayenne. Couvrez et réfrigérez
2 heures minimum. Juste avant
de servir, incorporez la menthe.

Chutney de dattes au tamarin

Pour 300 g environ

75 g de pulpe sèche de tamarin
500 ml d'eau bouillante
2 c. à c. d'huile végétale
2 c. à c. de graines de moutarde
   noire
2 c. à c. de graines de cumin
500 g de dattes fraîches
   dénoyautées et hachées
60 ml de vinaigre de cidre

Faites gonfler la pulpe de
tamarin 30 minutes dans l'eau
bouillante. Pressez-la au-dessus
d'un bol pour en extraire tout
le jus. Jetez les résidus solides.
Dans une petite casserole,
faites éclater les graines de
moutarde et de cumin dans
l'huile chaude. Mettez-les
dans une casserole avec les
dattes, le jus de tamarin et
le vinaigre ; laissez mijoter
5 minutes sans couvrir, jusqu'à
ce que le liquide soit presque
complètement évaporé. Mixez-
le alors en purée à peu près
homogène. Versez le chutney
dans des bocaux stérilisés,
puis fermez-les quand ils sont
encore chauds.

Raïta aux épinards

Pour 400 g environ

500 g d'épinards
1 c. à s. de beurre clarifié
1 petit oignon (80 g) haché
1/2 c. à c. de graines de moutarde
   noire
1 c. à c. de graines de cumin
1 c. à c. de cumin moulu
1/4 de c. à c. de piment en poudre
2 c. à c. de jus de citron
1 c. à c. de sel
2 c. à c. de menthe fraîche ciselée
330 ml de yaourt

Faites étuver les épinards dans
un peu d'eau ou à la vapeur.
Égouttez-les et laissez-les
refroidir. Pressez-les dans une
passoire pour éliminer tout le
liquide et hachez-les. Dans une
petite casserole, faites dorer
l'oignon dans le beurre clarifié
chaud. Ajoutez les graines de
moutarde et de cumin, faites-les
éclater à feu vif puis incorporez
le reste des épices. Mélangez
sur le feu jusqu'à ce que la
préparation embaume. Versez le
jus de citron et laissez refroidir.
Mélangez dans un saladier
le sel, la menthe et le yaourt.
Incorporez la préparation aux
épinards.

Lentilles à l'ail

Pour 500 g environ

400 g de lentilles corail rincées
    et égouttées
1/2 c. à c. de gingembre moulu
1 c. à c. de coriandre moulue
1/2 c. à c. de paprika doux
875 ml de bouillon de volaille
4 c. à s. de beurre clarifié
2 c. à c. de graines de cumin
2 oignons moyens (300 g) émincés
8 gousses d'ail en tranches fines
2 cm de gingembre frais en tranches
1 long piment vert en tranches fines
2 c. à s. de menthe fraîche ciselée

Laissez frémir les lentilles et les
    épices moulues dans le bouillon
    chaud pendant 30 minutes.
    Dans une poêle, faites chauffer
    le beurre clarifié pour y faire
    revenir les graines de cumin,
    les oignons, l'ail, le gingembre
    et le piment. Mélangez cette
    préparation avec les lentilles
    chaudes puis ajoutez la
    menthe.

Condiments aux tomates et à l'aubergine

Pour 300 g à peu près

1 grosse aubergine (500 g)
1 c. à s. de sel
2 c. à s. de beurre clarifié
1 gros oignon (200 g) émincé
3 gousses d'ail pilées
2 petits piments rouges en tranches
2 grosses tomates (500 g)
    concassées
2 c. à c. de sucre
1 c. à c. de garam masala
1 c. à c. de coriandre moulue
1/2 c. à c. de piment en poudre
1 c. à s. de vinaigre blanc
160 ml d'eau

Épluchez l'aubergine et détaillez-la
    en tranches de 1 cm. Salez ces
    dernières et faites-les dégorger
    20 minutes dans une passoire.
    Rincez-les à l'eau froide, puis
    épongez-les. Détaillez-les en
    dés. Dans une grande poêle,
    faites revenir l'oignon, l'ail
    et les piments dans le beurre
    clarifié. Ajoutez l'aubergine et
    mélangez 2 minutes. Incorporez
    les tomates, le sucre, les épices,
    l'eau et le vinaigre. Faites cuire
    15 minutes en remuant de
    temps à autre, jusqu'à ce que la
    préparation ait épaissi. Laissez
    refroidir.

Chutney de mangues

Pour 2 litres à peu près

2 c. à s. d'huile végétale
1 c. à s. de graines de moutarde
    noire
1/2 c. à c. de graines de cardamome
1 1/2 c. à s. de graines de cumin
2 oignons moyens (300 g) émincés
2 petits piments rouges en tranches
5 gousses d'ail pilées
1 c. à s. de gingembre frais râpé
1 1/2 c. à s. de coriandre moulue
3 c. à c. de curcuma moulu
6 mangues moyennes (2,5 kg)
    épluchées et détaillées en cubes
170 g de raisins secs hachés
295 g de sucre en poudre
2 c. à c. de sel
250 ml de vinaigre de vin blanc
125 ml de vinaigre de cidre

Faites éclater les graines de
    moutarde, cardamome et cumin
    dans l'huile chaude, dans une
    poêle à fond épais. Ajoutez les
    oignons, les piments, l'ail et le
    gingembre. Quand les oignons
    sont dorés, incorporez les
    épices moulues et poursuivez
    la cuisson jusqu'à ce que la
    préparation embaume. Ajoutez
    le reste des ingrédients et
    laissez frémir 1 h 15, sans
    couvrir et en remuant de temps
    à autre pour que le chutney
    épaississe. Répartissez-le dans
    des bocaux stérilisés. Scellez-
    les quand ils sont encore
    chauds.

Riz et pains

Riz aux épices et aux pistaches

Pour 4 personnes

1 c. à s. de beurre clarifié
2 petits oignons (160 g) en tranches fines
3 gousses d'ail pilées
3 c. à c. de graines de cumin
2 c. à c. de graines de moutarde noire
4 gousses de cardamome broyées
2 feuilles de laurier
75 g de pistaches
300 g de riz basmati rincé et égoutté
680 ml de bouillon de volaille chaud

1   Faites chauffer le beurre clarifié dans une casserole à fond épais pour y faire revenir les oignons, l'ail, les épices et les pistaches pendant 5 minutes, jusqu'à ce que la préparation embaume. Remuez sans cesse pendant que le mélange chauffe.

2   Ajoutez le riz et le laurier, versez le bouillon chaud, couvrez et laissez frémir 15 minutes. Retirez la casserole du feu, aérez les grains avec une fourchette, couvrez et laissez le riz gonfler encore 10 minutes.

Pilaf aux épinards

Pour 4 à 6 personnes

2 c. à s. d'huile végétale
6 oignons verts en tranches
2 piments rouges séchés broyés
1/2 c. à c. de graines de coriandre
1 gousse d'ail pilée
400 g de riz à longs grains
1 litre d'eau
1 cube de bouillon de volaille
500 g d'épinards hachés
1 poignée de basilic frais ciselé
125 ml de yaourt

1 Dans une casserole à fond épais, faites revenir dans l'huile chaude les oignons, les piments, les graines de coriandre et l'ail. Remuez jusqu'à ce qu'ils embaument.

2 Ajoutez le riz, l'eau et le cube de bouillon. Portez à ébullition, puis baissez le feu, couvrez et laissez frémir 15 minutes, jusqu'à ce que les grains de riz soient moelleux et que le liquide ait été complètement absorbé.

3 Hors du feu, incorporez les épinards, le basilic et le yaourt.

Faites revenir les aromates et les épices dans l'huile chaude.

Ajoutez le riz, l'eau et le bouillon. Laissez mijoter 15 minutes.

Incorporez hors du feu les épinards, le basilic et le yaourt.

Riz safrané au citron

Pour 4 à 6 personnes

1 litre de bouillon de volaille
1 pincée de stigmates de safran
2 c. à s. de beurre clarifié
2 petits oignons (160 g) émincés
2 gousses d'ail pilées
1 c. à c. de gingembre frais râpé
6 feuilles de cari
2 c. à c. de zeste de citron râpé
400 g de riz basmati rincé et égoutté
60 ml de jus de citron
1 poignée de coriandre fraîche ciselée

1   Portez le bouillon à ébullition dans une casserole moyenne, ajoutez le safran, couvrez et laissez infuser 10 minutes hors du feu.

2   Dans une autre casserole, faites chauffer le beurre clarifié pour y faire revenir les oignons, l'ail, le gingembre et les feuilles de cari. Quand les oignons sont bien dorés, ajoutez le zeste de citron et le riz. Remuez vivement.

3   Versez le bouillon au safran, couvrez et laissez mijoter 15 minutes, jusqu'à ce que le riz ait absorbé tout le bouillon. Incorporez le jus de citron et la coriandre fraîche. Couvrez et laissez reposer 5 minutes.

Pilaf aux fruits secs, oignons et amandes

Pour 4 à 6 personnes

4 c. à s. de beurre clarifié
2 gros oignons (400 g) émincés
1 c. à c. de piment en poudre
1 c. à c. de poivre noir moulu
1 pincée de stigmates de safran
4 gousses de cardamome broyées
4 clous de girofle
1 bâtonnet de cannelle
1 c. à c. de sel
400 g de riz basmati rincé et égoutté
1 litre d'eau
75 g de raisins de Corinthe
75 g d'abricots secs hachés
80 g de raisins de Smyrne
70 g d'amandes effilées grillées

1   Faites caraméliser les oignons 15 minutes avec la moitié du beurre clarifié chaud, en remuant de temps en temps. Réservez au chaud.

2   Dans la même casserole, faites sauter les épices dans le reste du beurre clarifié. Quand le mélange embaume, incorporez le sel, le riz et les oignons.

3   Versez l'eau et portez à ébullition. Baissez le feu, couvrez et laissez mijoter 10 minutes, jusqu'à ce que le riz ait absorbé tout le liquide. Incorporez les raisins secs et les abricots hors du feu. Couvrez et laissez reposer 5 minutes. Juste avant de servir, ajoutez les amandes et mélangez bien.

Riz aux pois cassés jaunes

Pour 4 à 6 personnes

200 g de pois cassés jaunes
3 c. à s. de beurre clarifié
1 oignon moyen (150 g) en tranches fines
2 gousses d'ail pilées
2 petits piments verts en tranches fines
2 c. à c. de gingembre frais finement râpé
1/2 c. à c. de curcuma moulu
1 c. à c. de graines de cumin
1/2 c. à c. de garam masala
1 c. à c. de coriandre moulue
1 bâtonnet de cannelle
4 feuilles de cari
2 c. à c. de sel
300 g de riz basmati rincé et égoutté
170 g de raisins secs
1 litre d'eau chaude
1 c. à s. de jus de citron vert
75 g de noix de cajou grillées

1 Faites tremper les pois cassés 1 heure dans un saladier d'eau froide, puis égouttez-les soigneusement.

2 Faites revenir l'oignon, l'ail, les piments, le gingembre, les épices, les feuilles de cari et le sel dans le beurre clarifié.

3 Quand le mélange embaume, ajoutez les pois cassés, le riz, les raisins secs et l'eau, puis portez à ébullition. Baissez le feu, couvrez et laissez mijoter 15 minutes, jusqu'à ce que le riz soit tendre. Jetez la cannelle et ajoutez le jus de citron. Laissez reposer 5 minutes à couvert avant d'ajouter les noix de cajou.

Riz biryani

Pour 4 à 6 personnes

2 c. à s. de beurre clarifié
2 oignons moyens (300 g) en tranches fines
2 pommes de terre moyennes (400 g) en dés
1 c. à c. de graines de cumin
400 g de riz à longs grains
1 litre d'eau
125 g de petits pois surgelés

Masala de menthe
2 grosses poignées de feuilles de menthe fraîche
2 piments verts longs en tranches
2 c. à s. d'huile végétale
1/2 c. à c. de garam masala
1 c. à c. de sel
35 g de lait de coco en poudre
60 ml d'eau

1 Dans une grande casserole, faites revenir les oignons et les pommes de terre dans le beurre clarifié chaud, jusqu'à ce qu'ils commencent à dorer.

2 Préparez le masala de menthe en mixant tous les ingrédients.

3 Versez les graines de cumin et le masala dans la casserole et mélangez à feu doux jusqu'à ce que la préparation embaume. Ajoutez le riz.

4 Versez l'eau, couvrez et laissez frémir 10 minutes. Hors du feu, incorporez les petits pois. Couvrez et laissez gonfler le riz encore 10 minutes hors du feu.

Galettes à la farine de pois chiches

Pour 12 galettes

140 g de farine de pois chiches
160 g de farine complète
140 g de farine
1 c. à c. de sel
3 c. à s. de beurre clarifié
    + 3 c. à s. pour les galettes
180 ml d'eau tiède

1   Tamisez les farines et le sel dans un saladier. Incorporez le beurre clarifié et travaillez le mélange du bout des doigts. Versez suffisamment d'eau pour obtenir une pâte ferme. Pétrissez-la 5 minutes sur une surface farinée jusqu'à ce qu'elle soit bien homogène. Couvrez-la d'un film alimentaire et réfrigérez 30 minutes.

2   Divisez la pâte en 12 morceaux. Sur la surface farinée, abaissez chaque pâton en un disque de 17 cm environ.

3   Badigeonnez de beurre clarifié les deux côtés des galettes avant de les faire colorer une à une dans une poêle ; des petites bulles vont se former à la surface. Au fur et à mesure qu'elles cuisent, réservez-les au chaud sous une feuille d'aluminium. Servez avec le plat de votre choix.

Travaillez la farine, le beurre et l'eau pour former une pâte.

Abaissez la pâte en disques fins de 17 cm de diamètre.

Faites cuire les galettes une à une dans une poêle chaude.

Parathas farcis aux patates douces et pommes de terre

Pour 8 personnes

240 g de farine complète
225 g de farine blanche
1 c. à c. de sel
2 c. à s. de beurre clarifié
250 ml d'eau
60 ml d'huile végétale

Farce
400 g de patates douces en dés
1 c. à s. d'huile végétale
1 c. à c. de sel
2 c. à c. de graines de cumin
2 c. à c. de graines de moutarde
noire
2 petites pommes de terre (240 g)
en dés
180 ml d'eau

1 Mélangez les farines, le sel, le beurre clarifié et suffisamment d'eau pour former une boule de pâte. Pétrissez cette dernière 10 minutes sur une surface farinée puis laissez-la reposer 1 heure sous un film alimentaire.

2 Préparez la farce.

3 Divisez la pâte en 16 morceaux. Abaissez chacun en un disque de 14 cm environ. Empilez les parathas en les séparant avec du film alimentaire.

4 Répartissez la farce sur 8 parathas, en laissant un bord de 1 cm. Mouillez ce dernier avec de l'eau.

5 Couvrez chaque farci d'un paratha et pincez les bords pour les faire adhérer.

6 Dans une grande poêle huilée, faites cuire un à un les parathas, jusqu'à ce qu'ils soient dorés des deux côtés. Égouttez-les sur du papier absorbant. Conservez-les au chaud.

Farce Faites cuire les patates douces à l'eau ou à la vapeur. Égouttez-les puis réduisez-les en purée. Faites éclater les graines de cumin et de moutarde dans l'huile chaude. Salez. Ajoutez les pommes de terre et l'eau, laissez cuire 10 minutes en remuant. Incorporez les patates douces puis mettez à refroidir hors du feu.

Empilez les parathas en glissant du film alimentaire entre les disques.

Étalez la farce sur la moitié des parathas.

Faites cuire les parathas un par un dans une poêle chaude.

Chapatis aux lentilles et aux épinards

Pour 8 personnes

225 g de farine blanche
80 g de farine complète
1 c. à c. de sel
1 c. à s. d'huile végétale
180 ml d'eau chaude

Farce
1 c. à s. d'huile végétale
1 oignon moyen (150 g) en dés
2 gousses d'ail pilées
1 c. à c. de cumin moulu
1 c. à c. de garam masala
1,5 c. à c. de graines de moutarde
   noire
1/2 c. à c. de curcuma moulu
100 g de lentilles corail rincées et
   égouttées
500 ml de bouillon de volaille
250 g d'épinards finement hachés

1 Tamisez les farines et le sel dans un saladier. Ajoutez l'huile et
   suffisamment d'eau pour obtenir une pâte ferme. Pétrissez cette
   dernière 10 minutes sur une surface de travail farinée, jusqu'à ce qu'elle
   soit bien souple. Laissez-la reposer 1 heure sous un film alimentaire.

2 Abaissez la pâte en seize disques de 14 cm de diamètre que vous
   empilez en les séparant par du film alimentaire. Couvrez d'un torchon.

3 Préparez la farce.

4 Étalez la farce sur la moitié des chapatis, en laissant un bord de 1 cm.
   Mouillez ce dernier avec de l'eau.

5 Couvrez les farcis avec les chapatis restants et pincez les bords pour
   les faire adhérer.

6 Faites chauffer une plaque en fonte ou une poêle à fond épais et laissez
   dorer les chapatis un à un sur les deux faces (sans matière grasse).
   Au fur et à mesure que vous les faites cuire, réservez-les au chaud
   sous une feuille d'aluminium.

Farce Faites dorer l'oignon et l'ail dans l'huile chaude. Ajoutez les épices
   et mélangez jusqu'à ce que leurs arômes se dégagent. Versez les
   lentilles et le bouillon. Couvrez, puis faites mijoter 20 minutes. Quand
   tout le liquide est absorbé, incorporez les épinards et laissez refroidir.

Pétrissez la pâte sur un plan de
travail fariné.

Étalez la farce sur la moitié des
chapatis.

Faites dorer à sec les chapatis sur
une plaque en fonte chaude.

Desserts et boissons

Koulfis à la cardamome, au safran et aux pistaches

Pour 6 personnes

750 g de lait condensé
180 ml de crème liquide
6 gousses de cardamome broyées
1 pincée de safran en poudre
75 g de sucre en poudre
50 g de pistaches grillées
    et finement broyées

1   Portez à ébullition le lait, la crème liquide, les gousses de cardamome et le safran. Baissez le feu et laissez mijoter 10 minutes sans couvrir, en remuant fréquemment : le liquide doit réduire d'un quart environ. Ajoutez le sucre et mélangez pour le faire dissoudre complètement.

2   Laissez refroidir à température ambiante. Filtrez la crème dans un saladier et jetez les gousses de cardamome. Incorporez les pistaches.

3   Répartissez la crème dans 6 ramequins de 125 ml, couvrez d'une feuille d'aluminium et congelez 3 heures au moins. Juste avant de servir, démoulez les koulfis sur les assiettes à dessert et accompagnez de fruits frais et de pistaches broyées.

Faites épaissir la crème à feu doux, sans couvrir.

Filtrez la crème et jetez les gousses de cardamome.

Congelez les koulfis au moins 3 heures.

Pain perdu à l'indienne

Pour 4 personnes

8 tranches de pain de mie rassis
2 c. à s. de beurre clarifié
375 ml de lait condensé
125 ml de lait écrémé
2 bâtonnets de cannelle
6 gousses de cardamome broyées
1 pincée de stigmates de safran
55 g de sucre en poudre
1 c. à s. d'amandes effilées
1 c. à s. de pistaches broyées

1 Faites préchauffer le four à 180 °C. Découpez des disques de 9,5 cm de diamètre dans les tranches de pain.

2 Dans une grande poêle, faites chauffer le beurre clarifié pour y faire dorer les disques de pain deux à deux. Procédez en deux tournées.

3 Disposez les disques de pain dans un plat peu profond en les faisant se chevaucher légèrement.

4 Battez le sucre, le lait condensé, le lait écrémé et les épices dans une casserole, remuer à feu doux pour faire dissoudre le sucre puis laissez frémir 5 minutes, sans couvrir. Filtrez cette crème et jetez les résidus solides.

5 Versez la crème sur les disques de pain, saupoudrez de pistaches et d'amandes, et laissez reposer 30 minutes. Faites cuire 15 minutes au four.

Avec un emporte-pièce, formez des disques dans les tranches de pain.

Disposez les disques dans un plat à four peu profond.

Laissez frémir le lait avec les épices et le sucre.

Crème à la rose

Pour 6 à 8 personnes

1 litre de lait
400 g de lait concentré sucré
3 c. à c. d'eau de rose
1 c. à c. de cardamome moulue
colorant alimentaire jaune
1 c. à s. d'amandes mondées grillées et broyées
2 c. à c. de pistaches grillées et broyées

1 Portez à ébullition le lait puis laissez frémir 30 minutes sans couvrir pour qu'il réduise de moitié. Filtrez-le dans un saladier, puis reversez-le dans la casserole.

2 Ajoutez le lait concentré, l'eau de rose, la cardamome et suffisamment de colorant pour obtenir la couleur d'une crème anglaise. Laissez frémir 15 minutes sans couvrir et en remuant de temps à autre, jusqu'à ce que la préparation ait légèrement épaissi.

3 Versez-la dans un saladier, puis incorporez les pistaches et les amandes. Couvrez et réfrigérez au moins 3 heures. Servez cette crème à la rose avec des fruits frais.

Koulfi à la mangue

Pour 8 personnes

750 ml de lait condensé
55 g de sucre en poudre
10 gousses de cardamome broyées
1 bâtonnet de cannelle
2 grosses mangues (1,2 kg) en dés

1 Dans une casserole, portez à ébullition le lait avec le sucre, la cardamome et la cannelle. Baissez le feu et faites mijoter 5 minutes. Laissez infuser 20 minutes hors du feu. Filtrez la crème (jetez les résidus solides) et versez-la dans le bol d'un robot ménager.

2 Mixez les mangues avec cette crème. Versez le tout dans un moule rectangulaire peu profond, couvrez d'une feuille d'aluminium et congelez 1 h 30.

3 Chemisez un moule carré de papier alimentaire. Coupez la glace en gros morceaux et fouettez-la avant de la verser dans le moule. Laissez prendre encore 3 heures au congélateur.

4 Pour servir, démoulez le koulfi sur une planche à découper et détaillez-le en 16 triangles.

Versez la crème dans un moule peu profond et congelez-la.

Avant de servir, démoulez le koulfi et détaillez-le en 16 triangles.

Nectar de mangue

Pour 3/4 de litre environ

2 mangues moyennes (860 g)
36 glaçons
1 c. à s. de sucre

Coupez les mangues en deux pour enlever les noyaux. Avec une cuillère, détachez la chair et mettez-la dans le bol d'un robot ménager. Réduisez-la en purée homogène avec les glaçons et le sucre. Répartissez dans des verres de service et laissez 5 minutes à température ambiante avant de servir.

Boisson au citron vert

Pour 1,3 litre environ

1 litre d'eau
150 g de sucre en poudre
80 ml de jus de citron vert
1 c. à c. de menthe fraîche ciselée
des glaçons

Dans une carafe, mélangez le sucre, l'eau, le jus de citron vert et la menthe. Remuez avec une grande cuillère pour faire dissoudre le sucre. Réfrigérez 4 heures. Filtrez et servez avec des glaçons.

Lassi au safran

Pour 750 ml environ

1 pincée de stigmates de safran
1 c. à s. d'eau bouillante
500 ml de yaourt
250 ml d'eau glacée
2 c. à s. de sucre en poudre
1/2 c. à c. de cardamome moulue
des glaçons

Faites infuser le safran 5 minutes dans l'eau bouillante. Dans une grande carafe, fouettez le yaourt, l'eau glacée, le sucre et la cardamome. Ajoutez le safran. Servez le yaourt sur des glaçons.

Thé aux épices

Pour 1 litre environ

2 bâtonnets de cannelle
1 c. à c. de graines de cardamome
1 c. à c. de graines de fenouil
1/2 c. à c. de clous de girofle
1 c. à c. de gingembre moulu
1/2 c. à c. de noix de muscade moulue
2 grosses poignées de feuilles de menthe fraîche
4 sachets de thé
500 ml de lait
500 ml d'eau

Mettez les épices, la menthe et les sachets de thé dans une théière. Mélangez le lait et l'eau, portez à ébullition puis versez sur le thé aux épices. Laissez infuser 10 minutes. Adoucissez avec un peu de sucre si le thé est trop fort pour vous. Filtrez juste avant de servir.

Boisson au citron vert

Nectar de mangue

Lassi au safran

Thé aux épices

Gâteau de riz à la mangue fraîche

Pour 4 personnes

100 g de riz à longs grains
750 ml de lait
75 g de sucre en poudre
6 gousses de cardamome broyées
1/4 de c. à c. de cannelle moulue
40 g de raisins secs hachés
3 grosses mangues (1,8 kg) en dés
25 g d'amandes effilées grillées
80 ml de crème liquide

1 Rincez le riz à l'eau froide puis faites-
   le cuire 5 minutes dans une casserole
   d'eau bouillante, sans couvrir. Égouttez-le
   soigneusement.

2 Dans une autre casserole, portez à ébullition
   le lait avec le sucre, la cardamome et la
   cannelle. Baissez le feu et ajoutez le riz.
   Laissez frémir 20 minutes sans couvrir, en
   remuant de temps en temps, jusqu'à ce que
   le riz ait absorbé presque tout le liquide.

3 Hors du feu, incorporez les raisins secs, les
   mangues et la moitié des amandes. Servez
   le gâteau nappé de crème liquide et décoré
   du reste des amandes.

Gulab jamun

Pour 30 boulettes à peu près

110 g de farine
35 g de farine à levure incorporée
60 g d'amandes en poudre
50 g de lait entier en poudre
1 pincée de cardamome moulue
30 g de beurre
60 ml de yaourt
2 c. à s. d'eau
huile végétale pour friture

Sirop
660 g de sucre en poudre
5 gousses de cardamome broyées
250 ml d'eau
35 g de pistaches écalées
2 c. à c. d'eau de rose

1 Tamisez les farines, les amandes en poudre,
   le lait en poudre et la cardamome dans un
   saladier. Incorporez le beurre avec les doigts.
   Ajoutez le yaourt et l'eau.

2 Formez des boulettes et faites-les frire dans
   l'huile très chaude, en plusieurs tournées.
   Égouttez-les sur du papier absorbant.

3 Préparez le sirop.

4 Juste avant de servir, plongez délicatement
   les boulettes dans le sirop chaud.

Sirop Mélangez dans une casserole le sucre,
   l'eau et la cardamome. Remuez à feu doux
   pour faire dissoudre le sucre puis laissez
   bouillir 5 minutes sans remuer. Incorporez
   délicatement les pistaches et l'eau de rose.

Les basiques

Si les ingrédients qui suivent sont essentiels à la cuisine indienne,
ils trouvent également à s'employer dans d'autres types de préparations :
le yaourt et le fromage dans des plats du Moyen-Orient, le lait de coco
et le garam masala dans ceux de l'Asie du Sud-Est.

Lait de coco

Pour 850 ml environ

**180 g de noix de coco
séchée
1 litre d'eau bouillante**

Faites gonfler la noix
de coco 1 heure dans
un saladier d'eau
bouillante. Mixez
le tout. Filtrez la
préparation en pressant
bien pour extraire tout
le liquide. Jetez la pulpe
de la noix de coco.

Caillé

Pour 100 g environ

**1 litre de lait
2 c. à s. de jus de citron
500 ml d'eau froide**

Portez le lait à ébullition
dans une grande
casserole. Baissez
le feu et laissez frémir.
Incorporez délicatement
le jus de citron jusqu'à
ce que le caillé se
forme. Hors du feu,
ajoutez délicatement
l'eau froide. Versez
le caillé dans une
étamine et rincez-le
abondamment à l'eau
courante. Nouez les
coins de l'étamine et
pressez délicatement
le caillé pour en extraire
autant de liquide que
possible. Mettez-le à
égoutter 1 heure environ
dans une passoire (sans
enlever l'étamine) puis
pressez-le 1 heure sous
des poids assez lourds.
Quand il est ferme,
retirez l'étamine.

Garam masala

Pour 20 g environ

**20 g de graines
de coriandre
2 c. à s. de graines
de cumin
2 c. à c. de grains
de poivre noir
2 c. à c. de graines
de cardamome
1 c. à c. de clous
de girofle
1 c. à c. de graines
de fenouil
1 bâtonnet de cannelle**

Faites sauter
séparément les épices
dans une poêle, jusqu'à
ce qu'elles embaument.
Pulvérisez-les ensemble
au moulin à épices.

Yaourt à l'indienne

Pour 625 ml environ

**750 ml de lait
2 c. à s. de lait entier
en poudre
60 ml de yaourt
2 c. à c. de sucre**

Dans une casserole,
fouettez le lait et le
lait en poudre jusqu'à
ce que le mélange
parvienne à ébullition.
Versez immédiatement
le liquide dans un
saladier en verre. Posez
un film alimentaire
directement sur le lait et
laissez-le revenir à 40 °C
environ. Incorporez
le yaourt et le sucre,
posez à nouveau un film
alimentaire sur le yaourt
et couvrez d'un torchon
propre. Laissez reposer
24 heures environ à
température ambiante
sans y toucher.
Mélangez le yaourt,
couvrez et réfrigérez.

Les bouillons

Ces bouillons peuvent se préparer 4 jours à l'avance et se conserver
au réfrigérateur. Retirez la graisse figée en surface avant de les utiliser.
Pour les conserver plus longtemps, vous pouvez les congeler en
petites portions.

Bouillon de bœuf

Pour 2,5 litres environ

2 kg d'os de bœuf avec
   un peu de viande
2 oignons moyens
   (300 g)
2 carottes (250 g)
   en tranches épaisses
2 branches de céleri
   (200 g) en tranches
3 feuilles de laurier
2 c. à c. de grains
   de poivre noir

Faites rôtir les os
et les oignons 1 heure
au four dans un grand
plat. Mettez-les ensuite
dans une grande
cocotte, ajoutez le
céleri, les carottes, le
laurier, les grains de
poivre et 5 litres d'eau,
laissez frémir 3 heures
sans couvrir. Ajoutez
3 litres d'eau et faites
cuire encore 1 heure.
Filtrez le bouillon.

Fumet de poisson

Pour 2,5 litres environ

1,5 kg de parures
   de poisson
1 oignon moyen (150 g)
   haché
2 branches de céleri
   (200 g) en tranches
2 feuilles de laurier
1 c. à c. de grains
   de poivre noir

Mettez tous les
ingrédients dans une
cocotte, versez 3 litres
d'eau chaude et laissez
frémir 20 minutes sans
couvrir. Filtrez le fumet.

Bouillon de volaille

Pour 2,5 litres environ

2 kg de carcasse
   de poulet
2 oignons moyens
   (300 g) émincés
2 branches de céleri
   nettoyées (200 g)
   en tranches
2 carottes moyennes
   (250 g) en tranches
3 feuilles de laurier
2 c. à c. de grains
   de poivre noir

Mettez tous les
ingrédients dans une
cocotte, versez 5 litres
d'eau chaude et
laissez frémir 2 heures
sans couvrir. Filtrez
le bouillon.

Bouillon de légumes

Pour 2,5 litres environ

2 grosses carottes
   (360 g) en tranches
2 gros navets (360 g)
   en dés
4 oignons moyens
   (600 g) émincés
12 branches de céleri
   (1,2 kg) en tranches
4 feuilles de laurier
2 c. à c. de grains
   de poivre noir

Mettez tous les
ingrédients dans
une grande cocotte,
versez 6 litres d'eau
et laissez frémir 1 h 30
sans couvrir. Filtrez
le bouillon.

Glossaire

Assa-fœtida

Résine tirée d'un bulbe qui ressemble à l'oignon. On la trouve dans les épiceries asiatiques sous forme de granules ou en poudre. On l'emploie comme assaisonnement (en quantités réduites) à la place de l'ail et de l'oignon.

Babeurre

Il est formé du liquide restant du lait après qu'on en a retiré la crème. Sa méthode de fabrication rappelle celle du yaourt. On le trouve au rayon des produits laitiers frais des supermarchés. Malgré son nom, sa teneur en graisses est faible.

Badiane

Aussi appelée « anis étoilé », c'est une gousse sèche en forme d'étoile, dont les graines libèrent un arôme et une saveur d'anis. On s'en sert pour parfumer les bouillons et les marinades. On l'utilise aussi en infusions.

Beurre clarifié

En Inde il est appelé *ghee*. Il ne contient pas de caséine et on peut donc le porter à très haute température sans qu'il noircisse. Il s'achète en boîte, en paquets ou en tubes dans les grandes surfaces ou les épiceries exotiques.

Bouillon

Pour les recettes de cet ouvrage, on peut utiliser des bouillons maison (page 115) ou du bouillon-cube dilué dans de l'eau chaude, à raison de 1 cube de bouillon pour 500 ml d'eau. Vérifiez cependant les proportions sur l'emballage car elles peuvent varier en fonction des préparations. Attention aux bouillons du commerce, qui sont souvent très salés.

Cardamome

Cette épice coûteuse originaire de l'Inde se trouve sous forme de gousses, de graines ou en poudre. Sa saveur très particulière est intense et douce.

Chapati

Galette indienne sans levain composée de farine de blé complète, que l'on cuit sur une plaque.

Coriandre

Parfois appelée persil chinois ou persil arabe, cette herbe aromatique d'un vert vif possède un goût et une saveur à la fois puissants et délicats. On utilise ses feuilles, ses tiges et ses racines. Ses graines séchées sont vendues entières ou moulues, mais ont un goût fort différent de celui de la feuille fraîche, qui ressemble davantage à un mélange acide de sauge et de carvi. On incorpore souvent des feuilles de coriandre fraîche à un curry juste avant le service.

Eau de rose

Extrait de pétales de roses écrasés (appelé *gulab* en Inde), que l'on trouve dans les épiceries moyen-orientales, les magasins diététiques et le rayon pâtisserie des supermarchés. Dans la cuisine indienne, elle aromatise de très nombreux desserts et préparations sucrées.

Fenugrec

Épice à la saveur assez astringente, vendue en graines ou moulue. Elle accompagne bien les poissons et le chutney.

Garam masala

Mélange moulu d'épices rôties à sec composé généralement de cardamome, cannelle, clous de girofle, coriandre, fenouil, noix de muscade et cumin. Sa variété piquante inclut parfois du poivre noir.

Gingembre

Ce rhizome noueux et épais provient d'une plante tropicale. Il se conserve au réfrigérateur, pelé dans un bocal à couvercle dans du vin blanc sec. Il peut se congeler dans un récipient hermétique. Le gingembre en poudre s'emploie comme pour aromatiser les gâteaux, les tartes et les crèmes, mais ne peut pas remplacer le gingembre frais.

Gombos

Il s'agit d'une gousse côtelée et verte de forme oblongue, à la peau velue. On emploie aujourd'hui ce légume originaire d'Afrique dans les cuisines de l'Inde, du Moyen-Orient et de l'Amérique du Sud. Il est parfois utilisé comme épaississant.

Lentilles

Ces légumineuses sèches sont souvent désignées par leur couleur (corail, vertes, jaunes, brunes).

Naan

Pain indien à levain associé à la cuisson au four tandoor d'argile (sur les parois duquel on le colle pour le faire enfler) du nord du sous-continent.

Masala

Ce mot désigne un mélange d'épices (entières, moulues ou en pâte) et d'aromates. Cette préparation donne son nom à de nombreuses recettes (poulet masala, curry masala), comme d'ailleurs la plupart des mélanges d'épices en Inde.

Moutarde (graines)

Les graines de moutarde noires sont plus petites et plus relevées que les graines de moutarde blanche (cette dernière n'est pas utilisée dans la cuisine asiatique).

Noix de coco

Crème On la trouve dans le commerce, en briques ou en boîtes. Elle résulte de la pression de la chair de la noix de coco, sans addition d'eau.

Lait Résulte du second pressage (moins riche) de la chair de noix de coco. Également vendu en briques ou en boîtes.

Panch phora

C'est un mélange traditionnel de cinq graines aromatiques (moutarde, fenouil, cumin, fenugrec et nigelle) frites dans l'huile de cuisson des currys pour les parfumer.

Pappadums

Galettes préparées avec de la farine de lentille et de blé, des épices et de l'huile. On les fait sécher au soleil avant de les faire cuire sur des fours ronds. Vous pouvez en trouver en grandes surfaces, qu'il suffit de réchauffer au four avant de les déguster pour accompagner les plats indiens.

Piment

Pour atténuer le feu des piments frais, enlevez les graines et les membranes blanches. Travaillez avec des gants car ils peuvent irriter la peau.

Riz

Basmati Riz blanc parfumé à longs grains, d'origine indienne, qu'il faut abondamment rincer à l'eau courante avant usage.

Parfumé au jasmin Riz blanc parfumé à longs grains ; on peut y substituer du riz blanc, mais la saveur finale sera différente.

Safran

Stigmates d'un membre de la famille des crocus, il se vend sous forme de filaments ou en poudre. Il confère une couleur jaune orangé aux recettes. Sa qualité peut varier de manière notable ; les meilleurs safrans sont très chers, mais aussi très parfumés. Il ne faut pas le confondre avec le curcuma, qui présente la même couleur mais n'a pas du tout le même goût. Le safran est surtout utilisé en Inde du Nord.

Tamarin

Ce fruit très acide d'un grand arbre tropical ressemble à un gros haricot vert. Son enveloppe brune abrite de grosses graines entourées d'une chair sucrée et acide. Le tamarin est séché et vendu en paquets. Pour l'utiliser, il faut le réhydrater dans de l'eau chaude puis presser la pulpe pour récupérer le jus. On trouve aussi du concentré de tamarin en flacons.

Tandoori

Ce condiment se compose habituellement d'ail, de curcuma, de gingembre, de piments et d'épices. On peut le préparer soi-même ou l'acheter tout prêt en bocaux dans la plupart des grandes surfaces.

Yaourt

Le yaourt utilisé dans la cuisine indienne a un goût légèrement aigre. Vous pouvez le préparer vous-même (recette page 114) ou le remplacer par du yaourt au lait de chèvre ou au lait de brebis, plus acide que les yaourts classiques au lait de vache.

Table des recettes

Soupes et entrées

Plats végétariens

Poissons et fruits de mer

Volailles

Viandes

Pour accompagner les viandes

Riz et pains

Desserts et boissons

Les basiques

Les bouillons

marabout**chef**

réussite garantie • recettes testées 3 fois

Vous avez choisi "cuisine indienne", découvrez également :

Et aussi :

ENTRES AMIS
Apéros

RAPIDES
Recettes au micro-ondes
Recettes de filles
Salades pour changer

CUISINE DU MONDE
Spécial Wok
Cuisine thai pour débutants
Recettes chinoises
Sushis et Cie
À l'italienne
Cuisiner grec

CLASSIQUES
Pain maison
Grandes salades
Recettes de famille
Spécial pommes de terre
Pasta
Tartes, tourtes et Cie

PRATIQUE
Recettes pour bébé
Cuisiner pour les petits

GOURMANDISES
Les meilleurs desserts
Tout chocolat…

SANTÉ
Boulgour, quinoa
& graines germées
Cuisine bio
Recettes Detox
Recettes rapides et légères
Recettes pour diabétiques
Recettes anti-cholestérol
Recettes minceur
Recettes bien-être
Tofu, soja et Cie
Recettes végétariennes

Pour l'éditeur, le principe est d'utiliser des papiers composés de fibres naturelles, renouvelables, recyclables et fabriquées à partir de bois issus de forêts qui adoptent un système d'aménagement durable. En outre, l'éditeur attend de ses fournisseurs de papier qu'ils s'inscrivent dans une démarche de certification environnementale reconnue.

Traduit et adaptation : Gilles Mourier et Élisabeth Boyer
Mise en pages : Christophe Vallée pour Domino

© 2005 ACP Magazines Ltd
Publié pour la première fois en Australie sous le titre *Indian Cooking*.
© 2007 Marabout / Hachette Livre